DE KUS VAN DE VAMPIER

ELLEN SCHREIBER

De kus van de
vampier

VERTAALD DOOR ANNECHIEN OLDERSMA

facet

Clavis Uitgeverij

Andere boeken van Ellen Schreiber bij Facet

Tienermeermin

Mijn moeder, de clown

Ellen Schreiber
De kus van de vampier

Tweede, herziene druk 2008

© 2000 (herziene uitgave 2003) Ellen Schreiber
© 2000 voor het Nederlandse taalgebied: Facet,
een imprint van Clavis Uitgeverij, Hasselt – Amsterdam
Foto omslag: www.shutterstock.com
Omslagontwerp: Studio Clavis
Vertaling uit het Engels: Annechien Oldersma
Oorspronkelijke titel: *Vampire Kisses*
Oorspronkelijke uitgever: Harper Tegen Books,
een imprint van Harper Collins Publishers, New York
Trefw.: vampiers, vooroordelen
NUR 284
ISBN 978 90 5016 524 2
D/2008/9424/014
Alle rechten voorbehouden.

www.clavisbooks.com

Dit boek is gedrukt op papier met een certificaat
van de Forest Stewardship Council,
die verantwoord bosbeheer stimuleert.

Inhoud

'Ik wil een relatie waar ik mijn tanden in kan zetten.'

ALEXANDER STERLING

Klein monster

De eerste keer dat het gebeurde, was ik vijf.

Ik was net klaar met het inkleuren van een tekening in mijn kleuterschoolboek met Picasso-achtige tekeningen van pap en mam, een collage van verscheurde papieren zakdoekjes en vragen als 'Wat is je lievelingskleur, je liefste knuffelbeest, wie is je beste vriendin ...?' van onze honderd jaar oude kleuterjuf, juffrouw Haring.

'Brad, wat wil jij later worden?' vroeg juffrouw Haring.

'Brandweerman!' riep hij.

'Cindi?'

'Eh ... verpleegster,' fluisterde Cindi bescheiden.

Juffrouw Haring ging de hele klas door. Politiemannen. Astronauten. Voetballers. Toen was het mijn beurt.

'Raven, wat wil jij later worden?' vroeg juffrouw Haring, en haar groene ogen boorden zich dwars door me heen.

Ik zei niets.

'Actrice?'

Ik schudde mijn hoofd.

'Dokter?'

'Nee ... ik eh ...' stamelde ik.

'Stewardess misschien?'

'Jakkes!' was mijn reactie.

'Wat dan?' vroeg ze geërgerd.

Nog even dacht ik na. 'Ik wil een ... een ...'

'Ja?'

'Ik wil een ... vampier worden!' riep ik uit. Tot grote schrik en verbazing van juffrouw Haring en mijn klasgenootjes. Eventjes dacht ik dat ze in de lach zou schieten, en misschien wilde ze dat ook wel, maar net op tijd herinnerde ze zich dat ze kleuterjuf was. Ze zette me dus gewoon in de hoek.

Het grootste deel van mijn kindertijd stond ik langs de kant naar anderen te kijken.

Het was volkomen normaal dat ik een beetje vreemd was. Ik ben verwekt op mijn vaders waterbed of op het dak van mams studentenhuis onder een fonkelende sterrenhemel. Dat hangt ervan af wie het verhaal vertelt. Pap en mam waren van die zielsverwanten die niet konden scheiden van de nasleep van de wareliefdedroom uit de jaren zeventig, vermengd met drugs, viooltjeswierook en het kabaal van The Grateful Dead. Een blootsvoets meisje, gekleed in een afgeknipte, versleten jeans en met kralenkettingen om haar hals, raakte verslingerd aan een langharige, ongeschoren, Elton-Johnachtig bebrilde, zongebruinde jongen in broek met wijd uitlopende pijpen, en met sandalen aan zijn voeten. Ik had wel een bebrilde hippieweerwolf kunnen zijn met kralenkettingen om mijn nek en vlechtjes in mijn haar!

Maar goed, nadat ik mijn entree had gemaakt in deze wereld, gedroegen Sara en Paul zich wat verantwoordelijker. In ieder geval wat minder bezopen. De flowerpower-volkswagenbus waarin we woonden, werd verkocht en ze besloten netjes een flatje te huren. Ons appartement werd behangen met 3D glow-in-the-dark-bloemenposters en verlicht door oranje buizen met daarin een olieachtige vloeistof die voortdurend borrelend in beweging was. Lavalampen. Je kon er uren naar kijken. Het was de mooiste tijd van mijn leven. We speelden iedere dag *Mens erger je niet*, bliezen kauwgombellen, bleven tot het einde der tijden op en keken films van Dracula op een tweedehands zwart-wittv, terwijl ik met mijn oor op mams steeds dikker wordende buik lag te luisteren naar dezelfde borrelende geluiden die ook uit de lavalampen kwamen. Ik stelde me voor dat mam straks zou bevallen van nog meer lavalampen.

De hele wereld veranderde toen dat niet gebeurde. Ze zette een Nerd Boy op de wereld! Hoe kon ze? Hoe kon ze al onze lange kauwgom-avonden en Draculanachten zo verpesten? Voortaan ging ze vroeg naar bed en de druiloor, die mijn ouders Billy noemden, maakte de hele nacht een herrie van je welste. Opeens was ik alleen. Alleen met mijn kauwgom en lavalampen en Dracula, terwijl mam sliep, Nerd Boy Billy jankte en pap stinkende luiers verwisselde.

En alsof dat niet genoeg was, stuurden ze me op een dag ook nog naar een plek zonder 3D posters en lavalampen. Een opbergplek voor kinderen, met saaie papiercollages en fluttekeningen. Ik werd bedolven onder keurige meisjes in fleurige jurkjes en keurige jongetjes in strak-ke korte broekjes en met een keurige, kaarsrechte scheiding in hun keu-rig gekamde haren. De kleuterschool, heette die plek.

'Allemaal nieuwe vriendjes en vriendinnetjes,' verzekerde mijn moe-der me, toen ik me in doodsangst aan haar vastklampte. Ze zwaaide nog even gedag, blies me een handkusje toe en liet me zonder pardon achter bij die oerdegelijke juffrouw Haring. Eenzamer kun je je je niet voelen. Wanhopig keek ik mijn moeder na, toen ze met Nerd Boy op haar heup terugging naar mijn wereld van 3D posters, horrorfilms en kauwgom. Mijn wereld. Thuis.

Op een of andere manier werkte ik me door die dag heen. Ik knip-te en plakte. Zwart papier op zwart papier. En al die keurige kinderen om me heen zich maar gedragen als neefjes en nichtjes op een gezel-lige familiepicknick! Toen mam me eindelijk op kwam halen, was ik zelfs blij om Nerd Boy te zien.

Die avond vond ze me met mijn lippen tegen de tv aan, waar ik Christopher Lee in *Horror of Dracula* probeerde te kussen.

'Raven! Waarom slaap je nog niet? Je moet morgen naar school!'

'Naar school?!' riep ik. De supermarktappeltaartpunt viel van schrik uit mijn hand en mijn hart sloeg over.

'Ik dacht dat het maar voor één keer was!' Mijn toekomst hing van haar antwoord af.

'Lieve Raven. Je moet elke dag naar school!'

Elke dag? De woorden galmden in mijn hoofd. Elke dag?! Dat betekende ... levenslang!

Die nacht moest dat kleine monster dat mijn leven verpest had echt niet proberen dramatischer en harder te janken dan ik. Toen ik eindelijk stil was en me helemaal 'alleen op de wereld' voelde, smeekte ik God dus om eeuwige duisternis.

Helaas, de volgende dag werd ik in fel daglicht met een knallende koppijn wakker.

Ik hunkerde echt naar iemand met wie ik het goed kon vinden, maar er was niemand. Niet op school en ook niet thuis. Thuis werden de lavalampen vervangen door schemerlampen in Tiffanystijl, de glow-in-the-darkposters verdwenen onder Laura Ashleybehang en de oude zwart-wittelevisie moest plaatsmaken voor een 25 inch-kleurenmodel.

In plaats van liedjes te zingen van *Mary Poppins* floot ik op school de filmmuziek van *The Exorcist*.

Halverwege de kleuterschool probeerde ik vampier te worden. Trevor Mitchell, een keurig gekamd, blond jongetje met waterige blauwe ogen, was mijn eeuwige kwelgeest, al vanaf het moment dat ik hem ongeveer doodkeek op de glijbaan omdat hij probeerde voor te kruipen. Hij haatte me omdat ik de enige was die niet bang voor hem was. Alle anderen, kinderen en leraren, liepen bij hem te slijmen omdat zijn vader bijna alle grond bezat waarop hun huizen stonden.

Zes maanden later. Trevor Mitchell, het keurigste, hoogblonde jongetje uit de klas, was in zijn bijtfase. Niet omdat hij ook, net als ik, een vampier wilde worden, maar gewoon omdat hij gemeen was. Hij had iedereen al te pakken gehad. En nu was het eindelijk mijn beurt! We speelden op het schoolplein onder de vreselijk hoge basketbalring, toen ik zo hard in zijn miezerige kleine armpje kneep dat ik dacht dat het bloed er wel uit moest spuiten. Zijn hoofd werd bijtrood. Ik wachtte in spanning af. Hij trilde van woede en zijn ogen puilden uit van wraakzucht, terwijl ik hem lachend uitdaagde. Even later had ik zijn tandafdruk in mijn uitgestoken hand staan. Juffrouw Haring zette hem voor straf tegen de muur en ik danste uitgelaten over het plein.

'Die Raven is een rare,' hoorde ik haar tegen een andere juf zeggen, terwijl ik vrolijk langs de huilende Trevor huppelde en hem dankbaar een handkusje toewierp.

Mijn wond was erg mooi en ik ging meteen schommelen, want nu kon ik vliegen, toch? Ik had alleen even iets nodig om me op topsnelheid te brengen. De schommel kwam net boven het schoolhek uit, maar ik richtte me meer op de wolken. Toen ik op het hoogste punt van de schommel af sprong, dreigde het hele roestige geval om te kieperen. Mijn plan was om over het schoolplein heen te suizen, voor een verbijsterde Trevor langs, maar in plaats daarvan stortte ik neer op de modderige aarde onder de schommel. Nu deed ik mijn hand dus echt pijn. Maar ik schreeuwde meer van teleurstelling dat Trevor niet over dezelfde bovennatuurlijke gaven beschikte als mijn vampierhelden op tv, dan omdat ik me pijn had gedaan.

De bijtwond werd alsnog met ijs behandeld en juffrouw Haring … zette me tegen de muur. Om even tot rust te komen. Terwijl die verwende Trevor weer mocht gaan spelen. Hij wierp me een handkus toe en zei: 'Bedankt.' Ik stak mijn tong uit en schold hem de huid vol. Woorden die ik wel eens op tv had gehoord. Juffrouw Haring stuurde me meteen naar binnen. Ik werd vaak naar binnen gestuurd in mijn kindertijd.

Oersaai

Welkom in Oersaai, groter dan een grot, maar klein genoeg om claustrofobisch te worden! Dat zou er op het bord van ons provinciestadje moeten staan.

Een bevolking van achtduizend ongeveer dezelfde inwoners, een weerbericht dat het hele jaar door precies fout is, truttig omheinde eenheidsworsthuizen en uitgestrekte landbouwgronden. Dat is Oersaai. De goederentrein die om tien over acht in de ochtend dwars door ons stadje rijdt, scheidt iedere dag voor alle zekerheid de foute kant van Oersaai van de goede kant. De akkergronden van de golfbaan. De tractors van het golfwagentje. Wat een wereld! Hoe kunnen graanvelden nu minder waard zijn dan een grasveld met gaten erin?

Het honderd jaar oude gerechtsgebouw staat aan het stadsplein. Ik heb nog niet genoeg moeilijkheden veroorzaakt om daarheen gesleept te worden. Nog niet. Boetiekje, reisbureau, bloemenzaak, computerwinkel, bioscoop. Allemaal zoals het hoort in de wereld, keurig netjes gerangschikt rond het plein: geld verdienen.

Ons huis zou eigenlijk midden op de rails moeten staan. Op wielen. Zodat we Oersaai uit konden rijden. Maar we liggen aan de goede kant van de rails, bijna op de tennisbaan.

Oersaai … De enige interessante plek is een groot landhuis op een heuvel, Benson Hill, gebouwd door een verbannen graaf. Hij is daar gestorven, en na hem zijn nicht ook. Van verveling, denk ik. In Oersaai staat het landhuis algemeen bekend als Het Landhuis. Misschien niet origineel, maar wel duidelijk.

Ik heb maar één vriendin in Oersaai, een boerenmeisje. Nog minder populair dan ik. Becky Miller. In de derde klas leerde ik haar pas echt kennen. Ik zat op de trappen voor school te wachten op mijn moeder, die, sinds ze zich met het verenigingsleven in Oersaai bemoeide, altijd de laatste was. Toen zag ik Becky zitten, ineengedoken, onder aan de trappen, huilend als een klein kind. Ze had geen vriendinnen, want ze was een verlegen meisje en woonde aan de oostkant van het spoor. De foute kant dus. Ze was een van de weinige boerenkinderen die bij ons op school zaten en ze zat twee tafels achter mij in de klas.

'Wat is er?' vroeg ik haar, want ik vond het wel treurig zoals ze daar zat.

'Mijn moeder is me vergeten!' blèrde ze, de handen wanhopig voor haar natte gezicht geslagen.

'Ach, welnee, ze is gewoon een beetje laat,' troostte ik haar.

'Ze is *nooit* zo laat!' huilde ze.

'Misschien staat ze ergens in de file,' opperde ik.

'Denk je?'

'Vast! Of misschien heeft ze zo'n vervelende telefonische verkoper aan de lijn. Je weet wel, die altijd vragen: is je moeder thuis?'

'Denk je?'

'Gebeurt voortdurend! Of misschien wilde ze wel een hamburger kopen en stond er een lange rij in de snackbar.'

'Zou mijn moeder dat doen?' vroeg ze.

'Waarom niet? Een mens moet toch eten, nietwaar? Maak je geen zorgen. Ze is er zo.'

En inderdaad. Nog geen minuut later kwam er een oude blauwe pick-up voorrijden met een schuldbewuste moeder aan het stuur en een vriendelijke, wollige schapendoes in de achterbak.

Becky rende naar haar moeder toe en rende even hard weer terug.

'Mam zegt dat je zaterdag wel mag komen spelen, als je ouders het goedvinden.'

Wauw! Ik was nog nooit bij iemand uitgenodigd. Ik was wel niet verlegen zoals Becky, maar wel net zo ongeliefd, berucht als ik was vanwege mijn slechte gedrag: ik kwam voortdurend te laat, droeg een zonnebril in de klas, verkondigde een eigen mening. Totaal onbekende gewoonten in Oersaai.

Naar Becky, dus. Ze hadden daar een achtertuin die ongeveer zo groot was als Transsylvanië! Een geweldige plek om geheimen te bewaren en monstertje te spelen. Een plek waar je net zoveel rijpe en onrijpe appels kon eten als de maag van een uitgehongerde derdeklasser kon verwerken. Ik was de enige in onze klas die haar nooit een mep verkocht en uitschold. En iedereen die dat wel probeerde, sloeg ik voortaan in elkaar. Ik werd haar beste vriendin en haar bodyguard. En dat ben ik nog steeds.

Als ik niet met Becky speelde, dan maakte ik me op met zwarte lippenstift en lakte ik mijn nagels zwart, dan schuurde ik mijn al lang afgetrapte kistjes, en ik begroef mezelf in de verhalen van Anne Rice.

Toen ik elf was, gingen we op vakantie naar New Orleans. Pap en mam wilden blackjack spelen op het varende casino, Nerd Boy wilde naar het beroemde aquarium. Ik wilde iets heel anders. Ik zou naar *haar* geboortehuis gaan. En dan naar alle historische huizen die ze had laten restaureren en naar het huis dat zij haar thuis noemde.

Daar stond ik. Als gebiologeerd voor de ijzeren poort van haar supergothic landhuis. Mijn moeder, die ik eigenlijk niet meegevraagd had, stond naast me. Ik voelde de zwarte raven over ons heen vliegen, ook al was er waarschijnlijk niet één te zien. Doodzonde dat ik niet 's nachts gekomen was, dan was alles nog fantastischer geweest. Aan de overkant van de straat stonden net zulke meisjes als ik foto's te nemen. 'Kom mee!' wilde ik roepen. 'Laten we samen een tocht maken langs alle kerkhoven!' Voor het eerst in mijn leven had ik het gevoel ergens bij te horen. In een stad waar ze de doodskisten op elkaar stapelden in plaats van ze diep onder de grond weg te stoppen, waar studenten rondliepen met tweekleurig haar, in scherpe punten geknipt. Overal opwindende mensen. Behalve op Bourbon Street, waar aan de toeristen af te lezen was dat ze uit een of ander Oersaai kwamen.

Ineens draaide een limousine de hoek om, de straat in. Het was de zwartste limo die ik ooit gezien had. De chauffeur, compleet met zwarte chauffeurspet, opende het portier en *zij* stapte uit!

Ik begaf het bijna. Ademloos keek ik toe. De tijd leek in slow motion verder te gaan. Voor mijn ogen zag ik mijn idool. Van alle levende idolen mijn eigen idool! Anne Rice!

Ze straalde als een filmster, een 'gothic angel', een hemels wezen. Haar lange zwarte haar golfde glanzend over haar schouders, ze droeg een gouden hoofdband, een lange zijden bloes en een fantastische zwarte vampiermantel. Ik was sprakeloos. Ik dacht dat ik flauw zou vallen.

Gelukkig is mijn moeder nooit sprakeloos.

'Zou mijn dochter een handtekening van u mogen hebben?'

'Natuurlijk,' antwoordde de koningin van het nachtelijke avontuur vriendelijk.

Daar stond ik. Voor Anne Rice. Op benen van was en met het gevoel dat de zon ze elk moment onder mijn romp weg zou smelten.

Het enige dat ik me nog herinner van daarna, nadat ze haar handtekening had gezwierd op een geel papiertje uit mijn moeders kladblokje, was dat de Ster van de Duisternis glimlachend haar arm om mijn schouders sloeg!

Anne Rice ging samen met mij op de foto!

Ik heb nog nooit zo breeduit gelachen. Zij lachte natuurlijk zoals ze al honderd keer gelachen had. Een moment dat zij zich nooit zal herinneren, maar een moment dat ik nooit zal vergeten.

Waarom vertelde ik haar niet dat ik gek was op haar boeken? Waarom vertelde ik haar niet hoeveel ze voor me betekende?

De rest van de dag liep ik te zingen. En keer op keer voerde ik de hele scène op voor pap en Nerd Boy, in ons met antiek spul volgepropte, pastelroze bed-met-ontbijthotel. Het was de eerste dag in New Orleans, maar ik wilde alweer terug naar huis. Wie interesseerde zich nou nog voor een stom aquarium, een Franse wijk, een paar bluesbands en vastenavondoptochten? Ik had net een vampierengel gezien!

De hele dag wachtte ik op de ontwikkeling van het fotorolletje om er daarna achter te komen dat de foto van Anne Rice en mij er niet bij zat. Ik had behoorlijk de pest in toen ik met mijn moeder naar het hotel terugliep. Ofschoon we wel apart te zien waren op de foto's, vroeg ik me toch af of het mogelijk was dat twee vampierliefhebbers samen niet op de foto gezet konden worden. Of was het alleen om mij er fijntjes aan te herinneren dat zij een bestsellerschrijfster was en ik een gillerig, dromerig kind dat door een duistere fase heen ging?

Monsterkunstje

Mijn geweldige zestiende verjaardag. Zouden niet alle verjaardagen geweldig moeten zijn? Waarom zou zestien nou geweldiger zijn? Een hoop overdreven gedoe, lijkt me. Ik word geacht de rest van mijn leven deze dag niet te vergeten. Dat zou niet moeilijk zijn als ik in Parijs zou wonen, maar toevallig woon ik in Oersaai. Een provinciestadje waar iedereen iedereen kent. Of in ieder geval iedereen over iedereen roddelt.

En in Oersaai vieren ze vandaag mijn geweldige zestiende verjaardag, als iedere andere dag. Een schooldag.

Het begon allemaal met Nerd Boy.

'Opstaan, Raven!' riep hij. 'Je wilt toch niet te laat op school komen?'

Hoe was het in 's hemelsnaam mogelijk dat twee kinderen met dezelfde ouders zo verschillend konden zijn? Misschien schuilt er wel waarheid in het verhaal van 'de melkman'. Maar in het geval van Nerd Boy moet mijn moeder dan wel een avontuurtje hebben gehad met de bibliothecaris.

Ik sleepte mezelf uit bed, trok een zwarte katoenen, mouwloze jurk aan, zwarte sportschoenen en deed zwarte lippenstift op mijn lippen.

Twee slagroomcakes stonden op de keukentafel op me te wachten. Eén in de vorm van een 1 en één in de vorm van een 6.

Met mijn wijsvinger ging ik over de zes en likte de slagroom eraf.

'Gefeliciteerd!' zei mijn moeder en ze gaf me een kus. 'Deze zijn voor vanavond, maar dit mag je nu hebben.' Een pakje.

'Gefeliciteerd met je verjaardag, Raaf,' zei mijn vader, en ook hij kuste me op mijn wang.

'Ik wed dat je geen idee hebt wat je me eigenlijk geeft,' zei ik plagend tegen hem, terwijl ik het pakje omhooghield.

'Klopt, maar ik weet zeker dat het erg duur is.'

Ik schudde het kleine pakje heen en weer en hoorde iets rammelen. Verrast keek ik naar het kleurig verpakte cadeautje. Autosleutels? Een eigen vampierwagen?! Het kon wel, het was tenslotte mijn zestiende verjaardag.

'Ik wilde je iets speciaals geven,' zei mijn moeder lachend.

Opgewonden scheurde ik het papier eraf en deed het dekseltje van een klein juwelendoosje open. Een wit parelkettinkje glansde me tegemoet.

'Ieder meisje moet een parelkettinkje hebben voor speciale gelegenheden,' zei mam stralend.

Dit was mams verburgerlijkte versie van de kralenkettingen uit haar hippieperiode. Ik lachte wat schaapachtig om mijn teleurstelling te verbergen. Toen omhelsde ik hen. 'Bedankt.' Terwijl ik het kettinkje teruglegde, zag ik hen zo verwachtingsvol naar me staren dat ik, met tegenzin, de parels voor mijn hals hield.

'Het staat je prachtig,' zei mam ontroerd.

'Ik zal ze bewaren voor speciale momenten,' reageerde ik neutraal, terwijl ik de parels teruglegde.

De bel ging en Becky kwam binnen met een zwart pakje.

'Hartelijk gefeliciteerd!' zei ze, toen we samen naar de woonkamer liepen.

'Bedankt, maar je had niets mee hoeven te nemen, hoor.'

'Ja, dat zeg je elk jaar,' plaagde ze en ze gaf me het pakje. 'Ik heb gisteravond een verhuiswagen gezien bij Het Landhuis!' fluisterde ze.

'Je meent het! Komen er dan eindelijk mensen wonen?'

'Ik denk het,' antwoordde Becky. 'Maar het enige wat ik zag, waren verhuizers die eikenhouten kasten en oude hangklokken naar binnen sjouwden, plus enorme kisten met het opschrift *Aarde*. Ze hebben ook een zoon van onze leeftijd.'

'Zeker zo'n jongen die inclusief kakibroek geboren is. Met van die saaie ouders, zo'n dom yuppenstel,' schamperde ik. 'Ik hoop maar dat ze het huis niet verbouwen en alle spinnen naar buiten jagen.'

'Ja,' zei Becky. 'En dat ze niet het ijzeren hek neerhalen en zo'n stomme witte paaltjesomheining neerzetten.'

'En een plastic gans in de voortuin.'

We lagen in een deuk en intussen maakte ik het pakje open.

'Ik wilde je iets speciaals geven omdat je zestien bent geworden,' zei Becky.

In het doosje zat een leren kettinkje met een tinnen amulet. Een vleermuis!

'Te gek!' gilde ik en ik deed het meteen om.

Mam gluurde vanuit de keuken naar me.

'De volgende keer geven we geld,' hoorde ik haar tegen pap zeggen.

'Parels!' fluisterde ik met een vies gezicht tegen Becky, toen we naar buiten gingen.

We hadden gymles. Ik droeg een zwart shirt, een zwarte broek en mijn hoge soldatenschoenen met vierkante neuzen, mijn kistjes, in plaats van het voorgeschreven wit op wit en gymschoenen. Ik bedoel maar, wat is nu eigenlijk het punt? Alsof een scholier in wit harder zou kunnen rennen!

'Raven, ik heb echt geen zin om je vandaag weer naar het kantoor te sturen. Doe me een lol en draag voor één keer wat je geacht wordt te dragen,' zeurde meneer Harris, de gymleraar.

'Ik ben jarig. Misschien kunt u mij eens een lol doen!'

Even wist hij niet wat hij moest zeggen.

'Alleen vandaag,' stemde hij uiteindelijk toe. 'En niet omdat je jarig bent, maar omdat ik gewoon niet in de stemming ben om je naar het kantoor te sturen.'

Giechelend liepen Becky en ik naar de tribunes, waar de rest van de klas al zat te wachten.

Trevor Mitchell, mijn plaaggeest van de kleuterschool, en zijn schaduw, Matt Wells, volgden ons. Keurig gekamde, conservatieve, rijke voetbalsnobs*. Ze wisten zo goed dat ze er geweldig uitzagen en van dat vreselijke, zelfingenomen gedrag werd ik kotsmisselijk.

'Sweet sixteen!' Dat was Trevor. Het was duidelijk dat hij mijn woordenwisseling met meneer Harris ook meegekregen had. 'Wat schattig. Net rijp voor de liefde, denk je ook niet, Matt?' Ze liepen vlak achter ons.

'Zeker wel,' stemde Matt volop in.

'Maar misschien is er wel een reden waarom ze geen wit wil dragen, wit is immers voor maagden, of vergis ik me nu, Raven?'

Trevor ging voor me staan. Hij was heel knap, geen twijfel mogelijk. Zijn groene ogen waren prachtig en zijn haar was perfect geknipt. Een fotomodel. Voor elke dag van de week had hij een ander meisje. Hij was echt een hunk, maar ook nog een rijke hunk en dat maakte hem erg vervelend.

'Tja, je hebt gelijk. Er is een reden waarom ik zwart draag. Maar misschien draag ik wel wit ondergoed. Dat is voor mij een weet, en voor jou een eeuwige vraag,' voegde ik eraan toe, want het voelde wel lekker om hem uit te dagen.

Becky en ik liepen zo ver mogelijk de tribunes in en lieten Trevor en Matt achter op de sintelbaan.

'En wat ga je dan wel doen op je verjaardag?' schreeuwde Trevor ons na, terwijl hij bij de anderen van de klas ging zitten, die natuurlijk allemaal mee konden luisteren. 'Samen met boerin Becky op vrijdagavond een dvd'tje kijken: *Friday the Thirteenth*? Misschien een advertentie plaatsen? *Zestienjarig loslopend bleek monstermeisje zoekt dito vriendje voor de eeuwigheid?*'

---

* Voetbal wordt in de Verenigde Staten als een sport voor snobs beschouwd.

De hele klas lachte.

Ik hield er niet van als Trevor me pestte, maar ik zag het nog minder zitten als hij het op Becky gemunt had.

'Nee,' antwoordde ik. 'We waren van plan om op Matts feestje binnen te vallen. Gebeurt er daar tenminste ook nog iets.'

Iedereen viel stil en Becky knipperde met haar ogen alsof ze me wilde vragen waar ik haar nu toch in meesleepte. We waren nog nooit op een van Matts befaamde feestjes geweest. We waren ook nooit uitgenodigd. En we zouden ook nooit gaan. Ik tenminste niet.

Iedereen keek naar Trevor.

'Tuurlijk, jij en Igor zijn welkom … Alleen … wij drinken bier, geen bloed!' De hele klas lachte weer en Trevor gaf Matt een high five.

Op dat moment klonk het fluitje van meneer Harris. Het signaal dat we ons met z'n allen naar de baan moesten haasten en daar als jachthonden achter elkaar aan rondjes moesten gaan rennen.

Becky en ik slenterden, we hadden geen zin om ons in het zweet te werken.

'We gaan niet naar Matts feestje, hoor,' zei ze. 'Wie weet wat ze ons allemaal aan zullen doen.'

'We zullen wel zien wat ze doen. Of wat wij gaan doen. Ik ben jarig, weet je nog? Zestien. Een verjaardag om nooit te vergeten!'

Het Landhuis

De spannendste dingen die tot nu toe in Oersaai gebeurd zijn, in chronologische volgorde:

1. De trein van tien over acht ontspoorde, verloor allemaal dozen met Snickers en de machinist kon niet anders dan toekijken hoe wij onze zakken volpropten.
2. Een ouderejaars spoelde een zelfgefabriceerde, waterbestendige voetzoeker door het toilet, waardoor de afvoer opgeblazen en de school een week gesloten werd.
3. De dag dat iemand de spoken trotseerde en binnendrong in Het Landhuis!

De legende over Het Landhuis gaat ongeveer zo: het werd gebouwd door een Roemeense barones, die haar land ontvlucht was na een boerenopstand waarbij haar man en het grootste deel van haar familie de dood vonden. Tot in de kleinste details bouwde de barones op Benson Hill haar oude huis uit Europa na. Met uitzondering van de lijken dan. Ze leefde met haar bedienden totaal geïsoleerd van de buitenwereld, bang als ze was voor vreemdelingen en mensenmenigten. Toen zij stierf, was ik nog vrij klein en ik heb haar nooit ontmoet, maar ik speelde wel geregeld bij haar eenzame monument op het kerkhof. Volgens de verhalen staarde ze avond aan avond boven voor het raam naar de maan. En zelfs nu kun je haar geest bij volle maan soms zien zitten voor datzelfde raam, starend naar de hemel, als je maar vanuit de juiste hoek naar boven kijkt.

Maar ik heb haar nooit gezien.

Het Landhuis is sindsdien dichtgespijkerd.

Er ging nog wel een gerucht dat er nog een heksachtige Roemeense dochter was die zich met zwarte magie bezighield. In ieder geval was die niet geïnteresseerd in Oersaai (slimme dame!) en heeft ze het huis nooit opgeëist.

Het Landhuis was echt gothic. Ik vond het prachtig, maar voor veel anderen was het een doorn in het oog. Het was het grootste huis in de stad, en het leegste. Volgens mijn vader omdat het tot een nalatenschap behoort. Volgens Becky omdat het er spookte. Volgens mij omdat iedereen bang is voor spinnen en stof.

Het Landhuis had me altijd gefascineerd. Uiteraard. Het was mijn 'barbiedroomhuis' en ik klom vaak 's nachts de heuvel op in de hoop een glimp van een geest op te vangen. Maar ik ben maar één keer echt binnen geweest. Toen ik twaalf was. Ik hoopte dat ik het een beetje kon inrichten, zodat het mijn speelhuis zou worden. En dan zou ik een bord ophangen: VERBODEN VOOR NERDS. Dus op een nacht klom ik over het smeedijzeren hek en sloop ik over het slingerende pad omhoog.

Het Landhuis was echt geweldig, met bladderende verf, losliggende dakpannen en een spookachtig zolderraam. De reusachtige, donkere houten deur ... als Godzilla. Groot en sterk ... en dicht. Ik liep achterom. De ramen waren allemaal dichtgespijkerd, maar ik zag wel een paar loshangende planken voor het kelderraam. Ik probeerde ze los te trekken, toen ik plots stemmen hoorde.

Ik verstopte me achter een paar struiken en zag een groepje ouderejaars aankomen, dat met veel rumoer naderde. De meesten waren dronken, één was bang.

'Kom op, Jack, we hebben het allemaal al gedaan,' logen ze, terwijl ze een jongen met een honkbalpet achterstevoren op zijn hoofd voor zich uit duwden. 'Sluip aan de achterkant naar binnen en neem een verschrompelde kop voor ons mee!'

Jack Patterson. Hij was doodnerveus. Een knappe jongen. De moeite waard om verliefd op te worden. Meer een jongen die thuis een bal onder boogjes door schiet en meisjes laat zwijmelen dan een die 's nachts spookhuizen binnendringt om zich te bewijzen tegenover zijn vrienden.

Het leek wel alsof hij al een spook gezien had nog voordat hij binnen was. Plotseling keek hij achter de bosjes, precies waar ik verborgen zat. Ik schrok me wild. Hij slaakte een kreet. Ik dacht echt dat we allebei ter plekke een hartaanval zouden krijgen! Ik schoot verder naar achteren toen ik de anderen dichterbij hoorde komen.

'Hij gilt al als een klein kind voordat hij *binnen* is!' treiterde een van hen.

'Flikker op!' riep Jack naar de jongens. 'Het is toch de bedoeling dat ik dit alleen doe, hè?'

Hij wachtte tot de anderen zich weer teruggetrokken hadden en knikte toen naar me dat de kust veilig was.

'Jezus, je hebt me wel laten schrikken, zeg! Wat doe je hier?'

'Ik woon hier en ben mijn sleutels kwijt,' antwoordde ik. 'En nu probeer ik op een andere manier binnen te komen.'

Jack lachte. 'Hoe heet je?'

'Raven. En ik weet wie jij bent. Jij bent Jack Patterson. Je vader heeft die winkel, waar mijn moeder altijd haar chique handtasjes koopt. Jij zit daar soms achter de kassa.'

'Klopt. Ik dacht al dat ik je wel eens gezien had.'

'En waarom ben *jij* dan hier?' vroeg ik.

'Het is een soort test. Of je durft of niet. Mijn vrienden zeggen dat het hier spookt en nu moet ik naar binnen en als bewijs dat ik binnen ben geweest, moet ik iets uit het huis meenemen.'

'Een ouwe stoel of zo?'

Opnieuw lachte hij. 'Ja, sufkop, een ouwe stoel … Maar het maakt toch niet uit, want je kunt er niet in.'

'Jawel,' riep ik enthousiast. 'Je kunt er wel in.' En toen liet ik hem de losse planken bij het kelderraam zien.

'Jij eerst,' zei hij, me voor zich uit duwend met trillende handen. 'Jij bent kleiner.'

Ik gleed gemakkelijk tussen de planken door.

Het was stikdonker binnen. Zelfs voor mij. Ik kon nauwelijks de spinnenwebben zien. Geweldig! Er lagen stapels kartonnen dozen en het rook er als in een onderaardse ruimte die er al was sinds het begin der tijden.

'Kom op!' zei ik.

'Ik kan niet verder! Ik zit vast.'

'Je moet blijven bewegen. Wil je dat ze je vinden met je achterste buiten? Een prachtig doelwit, denk je niet?'

Ik rukte aan zijn armen, duwde en trok. Eindelijk was Jack erdoor. Tot mijn grote opluchting. Hij dacht daar ongetwijfeld anders over.

Ik leidde de doodsbange ouderejaars door de muffige, beschimmelde kelder. Hij kneep zo hard in mijn hand dat hij mijn vingers bijna brak.

Maar ik vond het prettig om zijn hand vast te houden. Hij was groot en sterk en gespierd. Niet zoals Nerd Boy. Die had van die kleine, zweterige, weke handjes.

'Waar gaan we heen?' fluisterde Jack angstig. 'Ik zie geen hand voor ogen!'

'Ik zie de trappen,' zei ik. 'Kom nu maar.'

'Ben je gek geworden? Ik ga geen stap verder! Ik neem wel een van die dozen mee!'

'Nee, dat is niets. Je vrienden maken je af. De rest van je leven zullen ze je uitlachen. En dat is niet leuk. Geloof me nu maar, ik kan het weten.'

Toen ik achteromkeek, zag ik de angst in zijn ogen. Het was me niet duidelijk of hij nu bang was voor zijn vrienden of voor de houten keldertrap, die zo verrot leek dat hij al zou instorten onder het gewicht van een spook.

'Goed,' zei ik. 'Wacht hier dan maar.'

'Alsof ik ergens heen zou gaan! Ik zou niet weten hoe ik terug moest komen.'

'Maar eerst ...'

'Wat?' vroeg hij.

'Eerst moet je mijn hand loslaten.'

'O ja ... ja, natuurlijk.'

Hij liet me los. 'Raven ...?'

'Ja?'

'Wees voorzichtig!'

Ik was even stil. 'Jack?' vroeg ik toen. 'Geloof je in spoken?'

'Nee, natuurlijk niet!'

'Dus je denkt niet dat er hier spoken zijn, of dat die oude graaf en zijn nicht hier jammerend rondwaren?'

'Sst,' fluisterde hij. 'Stil toch, straks hoort iemand je!'

Ik lachte hoopvol. Maar toen herinnerde ik me de durftest van zijn vrienden en ik trok de honkbalpet van zijn hoofd. Hij gilde.

'Rustig, ik ben het maar, niet een spook waarin je niet gelooft.'

Voorzichtig sloop ik de krakende trap op en botste boven tegen een deur. Shit! dacht ik. Maar de deur ging, zoals iedere andere deur, gewoon open met de deurknop. Een grote, lege gang strekte zich voor me uit. Het maanlicht viel door de kieren tussen de planken voor de ramen naar binnen. Binnen leek Het Landhuis nog groter. Terwijl ik door de gang liep, streek ik met mijn handen langs de muren. Het stof vlokte zacht onder mijn vingers. Ik ging een hoek om, stuitte op een grote trap met leuning en spijlen. Welke schatten lagen er boven verborgen? En zouden daar de geesten van de graaf en zijn nicht aan mij verschijnen?

Op mijn tenen sloop ik de trap op, voor zover dat tenminste mogelijk was op mijn kistjes. Ik wilde niemand in zijn of haar eeuwige rust verstoren!

De eerste deur boven was gesloten. De tweede en de derde ook. Ik legde mijn oor tegen de vierde en hoorde een zwak, klaaglijk geluid aan de andere kant. Een koude rilling kroop over mijn ruggengraat omhoog en vulde mij met ijzige angst. Heerlijk! Dit was de hemel! Maar toen ik wat beter luisterde, besefte ik dat het de wind was, die door de spleten van de planken floot. De kastdeur die ik opende, kraakte en piepte als een doodskist. Misschien vond ik wel een skelet! Helaas, ik ontdekte niets meer dan wat kleerhangers met spinnenwebben in plaats van kleren. Waar waren de geesten? Ik gluurde de bibliotheek in. Op een kleine tafel lag een opengeslagen boek, alsof de dame die naar de maan keek, gestorven was terwijl ze het las.

Ik griste *Kastelen in Roemenië* van de plank en hoopte dat een geheime deur de gang zou openen naar een spookachtig gewelf. Behalve een grote, harige bruine spin, die wegstoof over de boekenplank, gebeurde er niets.

Plotseling hoorde ik nog een ander geluid, en van schrik sprong ik zowat tegen het plafond. Een toeterende claxon! Jezus, ik was Jacks vrienden en het doel van dit avontuur helemaal vergeten.

Met grote sprongen rende ik terug de trap af. Een fel licht scheen op de betimmerde ramen. Ik klom in het grote erkerraam en gluurde naar buiten, veilig verborgen achter de planken. De ouderejaars zaten op de motorkap van hun auto, achter het grote smeedijzeren hek, met de koplampen gericht op Het Landhuis.

Een van hen keek mijn kant op, dus ik duwde de honkbalpet door een opening tussen de planken en zwaaide! Alsof ik net op Mars was geland. Triomfantelijk. De ouderejaars staken als antwoord hun duim omhoog.

Beneden in een hoekje van de kelder vond ik Jack, zittend op een houten kist. Badend in het zweet.

Hij pakte me vast als een klein kind zijn moeder. 'Waarom duurde het zo lang?'

Ik zette de pet op zijn hoofd. 'Hier, die heb je nodig.'

'Hoezo? Wat heb je ermee gedaan?'

'Ik heb ze ermee laten weten dat je binnen bent geweest. Klaar?'

'Klaar!'

Zodra ik hem weer teruggeleid had naar het kelderraam, kroop hij er razendsnel door, alsof het huis in brand stond. Het viel me op dat hij deze keer niet vast bleef zitten. Hij hielp mij ook naar buiten en we duwden de planken weer keurig op hun plaats. Niemand kon zien dat we binnen waren geweest. 'We zullen het anderen moeilijk maken om ook binnen te komen!' zei ik.

Verbaasd keek hij me aan. Hij wist niet wat hij van me moest denken en hoe hij me moest bedanken.

'O, shit! Ik ben vergeten iets mee te nemen!' besefte hij ineens.

'Ik ga wel even terug!'

'Geen denken aan!' zei hij en hij greep mijn arm.

Toen schoot me iets te binnen. 'Hier, neem dit maar,' zei ik. En ik gaf hem mijn kettinkje. Een leren bandje met een grijsgestreept onyx-medaillon. 'Het kostte maar een schijntje, maar het ziet eruit alsof het van een graaf had kunnen zijn. Laat alleen niemand ermee naar een schatter gaan.'

'Maar jij deed al het werk, en ik krijg alle lof?'

'Neem het nu maar, voordat ik van gedachten verander.'

Jack nam het aan. 'Hartstikke bedankt!'

Hij voelde de waarde van het waardeloze kettinkje goed aan en kuste me warm op mijn wang. En terwijl ik me verborg achter een bouwvallig tuinhuisje, rende hij terug naar zijn vrienden. Hij liet het kettinkje voor hun gezichten heen en weer bengelen. Ze waren heftig onder de indruk en vanaf nu zouden ze hem op handen dragen. Net als ik, trouwens. Met mijn vuile hand raakte ik mijn stoffige, gekuste wang aan. Na die dag hing Jack altijd rond bij de toffe jongensclub. Hij werd zelfs klassenoudste. Van tijd tot tijd zag ik hem op het stadsplein. Hij grijnsde altijd breeduit naar me. En één keer zag ik onder zijn leren jasje het onyxmedaillon hangen. Helaas kwam er geen nieuwe mogelijkheid meer om in mijn droomhuis te spelen. Het gerucht verspreidde zich dat Jack Het Landhuis binnengeslopen was. En uit angst dat meer kinderen het idee zouden krijgen om daar in te breken, werden de ramen dichtgemetseld en ging de politie 's nachts in de buurt patrouilleren. Het zou jaren duren voor ik Het Landhuis opnieuw van dichtbij kon bekijken.

Het zolderraam

Op weg naar huis, nog bezweet van de gymles, kwamen Becky en ik voorbij Het Landhuis. Ik zag iets wat ik nog nooit gezien had: licht achter het zolderraam. En ramen! 'Becky, kijk!' riep ik opgewonden. Achter het raam staarde iemand naar de sterren.

'O nee! Het is waar, Raven, spoken!' gilde ze angstig, terwijl ze aan mijn arm hing.

'Nou, dan wel een spook met een zwarte Mercedes! Trouwens, jij was het die me vertelde dat je de verhuizers bezig zag.' Ik wees naar de auto op de oprijlaan.

'Laten we gaan,' smeekte Becky.

Plotseling ging het zolderlicht uit. We keken omhoog. Becky's nagels priemden door de stof van mijn zwarte tweedehands trui. Met ingehouden adem stonden we te wachten.

'Laten we nu gaan!' zei Becky nog een keer.

Ik bewoog niet.

'Raven, ik ben al te laat voor het eten!'

Ik zei niets.

'Raven, ik moet echt weg!'

Als het moest, wachtte ik tot de volgende ochtend. Maar wie daar ook binnen was, hij of zij liet zich niet meer zien. Het licht dat ik had gezien achter het zolderraam, had een oud vuurtje in mij aangewakkerd. Er stonden me geweldige avonturen te wachten!

'Er stond een Mercedes geparkeerd bij Het Landhuis!' vertelde ik onder het avondeten. Zoals gewoonlijk was ik veel te laat.

'Ik hoorde dat iemand het eindelijk gekocht heeft,' zei Nerd Boy. 'Maar nog niemand heeft de nieuwe eigenaars gezien.'

'Hopelijk is het een gezin. Met een dochter van jouw leeftijd. Een die er geen plezier in heeft zich in de nesten te werken,' voegde mijn moeder eraan toe.

'Dan heb ik er waarschijnlijk niets aan.'

'Misschien heeft ze wel een vader met wie ik zo nu en dan kan tennissen,' zei mijn vader hoopvol.

'Precies wat je nodig hebt, nog meer tennissen,' klaagde mijn moeder, terwijl ze de laatste restjes pudding uit de schaal schraapte.

'Wie het ook zijn, ze zullen wel een heleboel dozen en kisten uit de kelder moeten sjouwen,' zei ik.

Ik sloeg een hand voor mijn mond. Te laat. Ze hadden het al gehoord.

Iedereen staarde me aan. 'Welke dozen?' vroeg mijn moeder. 'Hoe kom je daarbij?'

'Gewoon, iets wat ik gehoord heb.'

'Vertel me niet dat je in dat huis rondgesnuffeld hebt!' viel mijn vader uit.

'Raven!' zei mijn moeder op die typische, afkeurende moedertoon.

Niemand in Oersaai had de nieuwe bewoners gezien. Mooi. Het was heerlijk om hier voor de verandering iets raadselachtigs te beleven. Het enige wat er in Oersaai gebeurde, wist iedereen altijd al en bovendien was het niet de moeite waard.

Matt Wells woonde natuurlijk aan de goede kant van de stad. Aan de rand van Oakley Woods. Becky en ik kwamen laat op het feestje en we liepen naar binnen als filmsterren voor een première. Ik wel, in ieder geval. Becky liep dicht naast me met een gezicht alsof ze naar de tandarts ging.

'Het komt wel goed,' verzekerde ik haar. 'Het is een feestje!'

Maar ik wist waarom ze zenuwachtig was. We gaven hun de kans om ons belachelijk te maken, terwijl we ook veilig thuis voor de tv hadden kunnen hangen. Precies zoals Trevor gezegd had. Maar waarom zouden alleen die snobs plezier mogen hebben? Alleen omdat Matts slaapkamer groter was dan onze woonkamer? Of omdat wij niet die kleren droegen die 'in' waren? Was dat een reden om op mijn zestiende verjaardag thuis te blijven?

Ik voelde me net Mozes die met zijn staf op het water sloeg, toen de verzamelde snobs uiteenweken bij onze binnenkomst. Onze klasgenoten staarden me aan, uitgedost als ik was in mijn normale gothic outfit. Jammer dat Tommy Hilfiger er niet was. Hij zou zich gevleid voelen als hij zag dat zoveel mensen zijn kleding als een soort van uniform droegen. Het geluid van de Barenaked Ladies knalde door het huis. Een dikke laag rook hing boven de banken en de stank van bier doortrok de lucht als een goedkoop parfum. Kakmeisjes hingen bij kakjongens, de nieuwe generatie yuppies. Stelletjes die niet afkeurend naar ons keken, keken in vervoering naar elkaar. Het zou onbegonnen werk zijn om hier ergens een fatsoenlijk gesprek aan te knopen.

Becky had zich opgesloten op de badkamer. Terwijl ik in de woonkamer naast een belachelijk grote luidspreker op haar stond te wachten, nam ik even de cd's door. Michael Bolton, Celine Dion, en nog een heleboel meer saaie rotzooi. Verbaasde me niets.

Ik ging Becky zoeken, maar de badkamer was leeg. Ze was ook niet in de gang, dus ik liep door de kluit klasgenoten heen naar de keuken. Enkele meisjes met stikdure kapsels staarden me aan, verlieten de keuken en ik was weer alleen. Dacht ik.

'Ha, sexy monster chick,' hoorde ik een stem. Trevor.

Hij hing naast me tegen de muur, een blikje Heineken losjes in zijn hand.

'Werkt deze intro?' vroeg ik.

Hij lachte uitdagend. 'Ik heb nog nooit een meisje met zwarte lippen gekust.'

'Jij bent nog nooit *door* een meisje gekust,' zei ik en ik liep hem voorbij.

Toen pakte hij mijn arm en hij trok me naar zich toe. Hij keek me aan met die groene ogen en kuste me vol op de mond! Ik moet toegeven dat hij te gek zoende en dat ik het niet erg vond dat hij ook nog zo knap was.

Trevor Mitchell had me nog nooit aangeraakt, laat staan gekust, afgezien van die beet op de kleuterschool. Behalve een duw als ik te dichtbij stond, was er verder geen contact tussen ons geweest. Hij moest wel dronken zijn! Misschien was dit ook wel een grap, of was het zijn manier om me te feliciteren. Maar de manier waarop zijn lippen mijn lippen vonden … Het leek erop dat we het allebei leuk vonden.

Ik wist even niet wat ik moest denken toen hij me door de achterdeur naar buiten trok, over een dronken stel heen dat op de stenen lag, langs de vuilnisbakken, langs een fontein, achter de bomen. Duisternis.

'Bang in het donker, monstermeisje?' Het was zo donker dat ik de rode strepen op zijn sweater niet meer kon onderscheiden.

'Nee, integendeel,' antwoordde ik.

Hij duwde me tegen een boom en begon me nu echt te zoenen. Tongzoenen. Zijn handen waren overal, op mij, op de boom, weet ik veel. Overal.

'Ik heb altijd al een vampier willen kussen!' zei hij, naar adem happend.

'En ik een neanderthaler.'

Hij lachte en ging gewoon door.

'Dit betekent dus dat we nu met elkaar gaan?' vroeg ik, op mijn beurt naar adem happend.

'Wat?'

'Nou, als we naar school gaan? Lopen we dan hand in hand door de gangen en hangen we bij elkaar in de pauze? Gaan we films kijken in het weekend?'

'Ja, wat je maar wilt.'

'Dus, dan gaan we met elkaar?'

'Ja.' Hij lachte. 'Jij komt naar mij kijken als ik moet voetballen en ik kom naar jou kijken als je in een vleermuis verandert.'

Hij beet zachtjes in mijn hals. 'Ik wed dat je dit lekker vindt, hè, monstermeisje?'

Mijn hart klopte al wat minder snel. Natuurlijk wilde ik niet echt Trevors vriendin zijn. We verschilden niet van elkaar als Mars en Venus, nee, we kwamen niet eens uit hetzelfde melkwegstelsel! Bovendien vond ik hem helemaal niet leuk. Ik wist waarom hij me mee naar buiten had getrokken. Wat hij allemaal zou gaan zeggen en wat hij vooral graag wilde doen. En het einde van het liedje zou zijn dat hij van al zijn goklustige vriendjes een tientje zou krijgen omdat hij die 'gothic chick' versierd had.

Helaas.

Het werd tijd om tot actie over te gaan. 'Wil je weten waarom ik zwart draag? Wil je met me vliegen?'

'Ja,' lachte hij, een beetje verrast, een beetje dronken, maar heel erg opgewonden. 'Ik wed dat je vliegt als Supergirl!'

Ik trok hem mee over de paaltjesomheining, het bos in. Ik kon duidelijk beter in het donker zien dan hij. Mijn nachtelijke uitstapjes hadden mijn ogen geoefend. Misschien zag ik nog niet zo scherp als een kat, maar ik was toch aardig op weg. Ik voelde me veilig en was zeker van mezelf. De maan was mijn gids en de sterren lieten me weten dat ik niet echt alleen was.

'Ik zie niks,' zei Trevor, terwijl hij een tak uit zijn haren trok.

We liepen verder en Trevor zwaaide met zijn armen alsof hij naar dingen sloeg. Sommige mensen worden agressief als ze dronken zijn, anderen beginnen te kwijlen. Trevor werd doodsbang. En behoorlijk onaantrekkelijk.

'Laten we hier stoppen,' zei hij.

'Nog een klein stukje verder. Het is mijn zestiende verjaardag en ik wil dat dit een nacht wordt om nooit te vergeten!'

'Dit is ver genoeg,' zei hij en hij probeerde me vast te pakken en te kussen.

'We zijn er bijna,' zei ik, hem voortslepend. De lichten van het huis konden we allang niet meer zien en na elke vijf stappen botsten we tegen een boom.

'Dit is het,' zei ik eindelijk. 'Dit is perfect!'

Hij kneep mijn arm bijna fijn. Niet uit liefde. Uit angst. Zielig gewoon.

Overigens was de omgeving erg romantisch, met een zachte bries die door de bomen waaide, de geur van herfstbladeren en een koele nachtlucht. Alleen geen echte vriend.

Trevor was stekeblind in het donker. Alles deed hij op de tast, met zijn handen en zijn lippen. Hij kuste mijn hele gezicht en zijn handen gleden zachtjes langs mijn onderrug. Zelfs blind kostte het hem weinig moeite om de knoopjes van mijn bloesje te vinden.

'Nee, jij eerst,' zei ik.

Ik trok zijn sweater over zijn hoofd, tamelijk onhandig. Ik had dit tenslotte nog nooit gedaan. Onder zijn sweater droeg hij een T-shirt met een v-hals, en daaronder nog een hemd. Dit gaat uren duren, dacht ik.

Ik voelde zijn naakte borst. Waarom niet? Hij stond hier nu toch voor me. Hij voelde zacht en glad, maar ook gespierd.

Hij trok me tegen zich aan, mijn kunstzijden bloesje tegen zijn blote huid.

'Nu jij, schat, ik verlang zo naar je,' zei hij, citerend uit een of andere tweederangsfilm.

'Ik ook, schat, ik ook,' zuchtte ik, citerend uit dezelfde film.

Ik legde hem langzaam op de vochtige aarde, wipte zijn instappers van zijn voeten en trok zijn sokken uit. Voor de rest zorgde hij zelf, haastig.

Daar lag hij, op zijn ellebogen steunend, helemaal naakt. In het bleke maanlicht. Ik staarde naar hem en zoog het moment helemaal in me op. Hoeveel meisjes had meneer Geweldig al naar buiten gesleept, achter de bomen, in het bos, alleen maar om ze de volgende dag weer aan de kant te zetten? Ik was niet de eerste, ook niet de laatste. Maar ik zou anders zijn.

'Schiet op, kom bij me,' zei hij. 'Ik krijg het koud.'

'Geef me één seconde, ik wil niet dat je ziet hoe ik me uitkleed.'

'Jezus, ik kan je helemaal niet zien! Ik kan mijn eigen handen niet eens zien!'

'Nog even geduld.'

Ik had Trevor Mitchells kleren in mijn handen. Zijn sweater, T-shirt met v-hals, hemd, kakibroek, sokken, instappers en onderbroek. Meneer Geweldig was in mijn macht. Wat moet een meisje dan doen?

Dit meisje rende. Ik rende zoals ik nog nooit gerend had. Alsof ik iedere dag getraind had met de beste atleten van onze school, in plaats van rond te hangen op de tribunes. Als meneer Harris me nu zag, zou hij me zeker in zijn hardloopteam opnemen!

Ik was snel terug bij het huis, met Trevors spullen onder mijn armen gepropt. Mijn oog viel op de vuilnisbakken bij de oprit. De snobs achter op de veranda waren zo druk bezig met de drank en hun oppervlakkige leventjes, dat ze niet in de gaten hadden dat ik een halfvolle vuilniszak omkieperde en Trevors kleren erin stopte.

Met de vuilniszak in mijn hand liep ik het huis in en greep ik een verbijsterde Becky bij de arm. Ze serveerde bier aan een tafeltje met pokerende snobs.

'Waar was je?' siste ze. 'Ik kon je nergens vinden! Ze dwongen me om deze engerds te bedienen! Bier, chips, bier, chips. En nu sigaren. Waar haal ik sigaren vandaan, Raven?'

'Vergeet die stomme sigaren! We moeten maken dat we wegkomen!'

'Hé, schatje, waar blijven de chips?' riep een dronken snob.

'De bar is gesloten,' snauwde ik hem toe. 'En een goeie bediening betekent een flinke fooi!' Ik griste zijn pokerwinst van tafel en stopte de biljetten in Becky's tas. 'Tijd om te vertrekken!' zei ik. En ik trok Becky mee, de snobs in verbijstering achterlatend.

'Wat heb je in die zak?' vroeg ze.

'Afval, wat anders?'

Ik duwde haar door de voordeur naar buiten. Als je geen vrienden hebt, hoef je ook niemand gedag te zeggen. Dat is soms een voordeel.

'Wat is er aan de hand?' bleef Becky doorvragen, terwijl ik haar haastig voor me uit duwde. Haar tien jaar oude pick-up stond aan het eind van de straat op ons te wachten. 'Waar was je, Raven? Je hebt bladeren in je haar.'

Ik keek Becky aan met een enorme grijns en schreeuwde: 'Ik heb Trevor Mitchell verneukt!'

Ze keek verbijsterd opzij. 'Wat?! Wat heb je gedaan?' schreeuwde ze, slingerend over de weg. 'Met wie?'

'Trevor Mitchell!'

'Nee!' riep ze. 'Nee, dat kan niet, dat heb je niet gedaan. Dat zou je nooit doen!'

'Verneukt, Becky! Niet geneukt. Ik heb hem zo vreselijk verneukt! En ik heb al zijn kleren om het te bewijzen!' En een voor een haalde ik zijn kledingstukken uit de vuilniszak.

De rest van de rit kwamen we niet meer bij van het lachen.

Tegen de ochtend zou Trevor wel zijn weg uit het donker terugge-vonden hebben. Of misschien ook wel niet. In ieder geval had hij niks meer aan uiterlijk vertoon om zich achter te verbergen. Naakt was hij net als ieder ander. Koud en alleen.

Mijn zestiende verjaardag zou ik inderdaad de rest van mijn leven niet vergeten!

En Trevor Mitchell ook niet.

Terwijl we over de verlaten landweg reden die rond Benson Hill kronkelde en er naargeestige vormen in de bomen zichtbaar werden in het licht van de koplampen, vlogen de motten te pletter tegen de voorruit alsof ze ons wilden waarschuwen een andere weg te nemen.

'Het is helemaal donker in Het Landhuis,' zei ik toen we dichterbij kwamen. 'Even stoppen om te kijken?'

'Je verjaardag is voorbij,' antwoordde Becky geschrokken en met haar voet stevig op het gaspedaal. 'We kijken volgend jaar wel.'

Plotseling verscheen midden op de weg een figuur in het licht van de koplampen.

'Kijk uit,' schreeuwde ik.

Een jongen met een maanbleke huid, zwart puntig haar, zwarte jeans, een zwarte jas en zwarte Doc Martensschoenen bracht zijn arm omhoog om zijn ogen te beschermen … blijkbaar tegen het scherpe licht en niet vanwege de dreigende botsing met Becky's pick-up.

Becky stampte op de remmen. Er klonk een *bons*.

'Is alles goed met je?' schreeuwde ze.

'Ja, alles oké, en jij?'

'Raakte ik hem?' gilde ze, nu in paniek.

'Ik weet het niet.'

'Ik durf niet te kijken,' snikte Becky met het hoofd op het stuur. 'Ik kan het niet,' huilde ze.

Ik sprong de wagen uit en gluurde bezorgd om de voorkant van de truck heen, bang voor wat er op straat zou liggen.

Niets.

Onder de truck ontdekte ik ook niets. Misschien lagen er tanden. Bij een iets nadere inspectie zag ik bloedspetters op de bumper.

'Is alles in orde met je?' riep ik.

Niemand reageerde.

In Becky's handschoenenvakje vond ik een zaklamp.

'Wat ben je aan het doen?' vroeg ze bezorgd.

'Ik zoek.'

'Waarnaar?'

'Er was wat bloed ...'

'Bloed?' schrok Becky. 'Ik heb iemand vermoord!'

'Doe even normaal. Het kan net zo goed een hert zijn.'

'Een hert draagt geen zwarte jeans! Ik bel negen-één-negen,' zei Becky.

'Doe wat je niet laten kunt ... maar waar is het lichaam?' redeneerde ik verder. 'Je reed zeker niet hard genoeg om hem het bos in te schieten.'

'Misschien ligt hij onder de truck!'

'Heb ik al gekeken. Je hebt hem waarschijnlijk gewoon aangereden, waarna hij ervandoor gegaan is. Maar ik wil even zeker zijn.'

Becky greep mijn arm en haar nagels drukten scherp in mijn huid. 'Raven, niet doen! Laten we ervandoor gaan! Ik bel negen-één-negen!'

'Doe de deur maar op slot,' zei ik en ik trok me los uit haar greep. 'Maar hou de motor draaiende en de lichten aan.'

'Raven, denk je ...' schreeuwde Becky bijna buiten adem. Doodsbenauwd staarde ze me aan. 'Welke normale jongen loopt midden in de nacht in het pikdonker hier op de weg? Denk je dat hij misschien een ...?'

Het plezierig tintelende gevoel van kippenvel kroop over mijn armen.

'Becky, geef me geen valse hoop!'

Ik kamde het struikgewas uit naar beneden, tot aan de beek. Daarna vervolgde ik mijn zoektocht naar de heuvel, die omhoogliep richting Het Landhuis.

Ik gilde.

'Wat is er?' riep Becky terwijl ze het raampje naar beneden draaide.

Bloed! Dikke druppels in het gras! Maar geen lichaam! Ik volgde het bloedspoor, bang dat er her en der stukjes van zijn lichaam zouden liggen. Toen struikelde ik over iets hards. Bezorgd scheen ik met mijn zaklamp naar beneden. Het zou een afgescheurd hoofd kunnen zijn. Het bleek een gedeukt verfblik.

'Is hij dood?' vroeg Becky bang toen ik terug was bij de truck.

'Nee, maar ik denk ook niet dat je zijn verfblik vermoord hebt,' antwoordde ik met een bungelend blik voor haar gezicht. 'Wat deed hij hier midden in de nacht? En waar is hij naartoe gegaan?'

'Het was gewoon verf,' zuchtte Becky opgelucht. Ze legde haar telefoon neer en liet de motor op volle toeren draaien. 'Kom op, wegwezen hier!'

'Wat deed dat type hier midden op straat in het holst van de nacht?' vroeg ik me hardop af. 'Misschien was hij van plan iets met graffiti te doen of zo.'

'Waar kwam hij vandaan? En hoe kon hij zo snel verdwijnen?' mompelde Becky.

In de achteruitkijk spiegel zag ik nog net de contouren van het donkere Landhuis, precies op tijd om te zien dat het licht in de zolderkamer aanging.

Te kijk gezet

Het verhaal van de naakte Trevor verspreidde zich als een lopend vuurtje door de school. De ene versie was dat hij in een soort van vuilniszakkenluier bij Matt aan de achterdeur had aangeklopt, volgens een andere versie was hij bewusteloos en in z'n blootje in de achtertuin gevonden. Niemand had ook maar enig idee dat ik erbij betrokken was. Alleen Trevortje kende de waarheid. Het was duidelijk dat hij zijn gezicht probeerde te redden met een verzinseltje over een onstuimige ontmoeting met een nieuwe cheerleader.

Trevor liet me met rust en vermeed zelfs elk oogcontact. Het monstermeisje had grote, grote macht over de populaire voetbalsnob. Ze had immers al het bewijsmateriaal? Maar ik wilde niet dat Trevor me van diefstal kon beschuldigen. Ik moest hem alles teruggeven, toch?

Eerst een schoen. Ik geloof de linker. Ik hing de schoen aan de buitenkant van mijn opbergkastje. In eerste instantie viel het niemand op dat daar een instapper hing. Zij die het wel zagen, keken even en liepen door. Niets aan de hand. Maar de volgende ochtend was de instapper verdwenen. Eén persoon was het wel opgevallen. Nu werd het tijd dat mijn kastje, behalve door die brave Trevor, ook door andere scholieren opgemerkt werd.

De rechter bruine instapper hing ik op dezelfde manier op. Alleen deze keer met een berichtje erbij: MIS JE IETS, TREVOR?

Nu hoorde ik wat gegiechel her en der in de gang. Niemand wist van wie dit kastje was. Zo populair was ik dus! Maar ze zouden het snel genoeg in de gaten krijgen. Elke dag hing er iets anders. Een sok, een T-shirt, een sweater. Het viel me op dat sommige snobmeisjes, die nooit tegen me zouden praten, me nu onder wiskunde goedkeurende blikken toewierpen. Dat waren dus Trevors boommeisjes, gepaaid met mooie woorden, maar de volgende dag niets om mee voor de dag te komen. Ik had een heleboel om mee voor de dag te komen!

Tegen de tijd dat zijn kakibroek aan mijn kastdeurtje hing, compleet met gras en aarde, wist iedereen van wie dit kastje was. Nu werd ik in de gang openlijk toegelachen. De jongens waren nog niet zover dat ze me mee uit vroegen, maar ik was ineens erg populair. Ook al was het onuitgesproken.

Niet bij iedereen, natuurlijk. Niet bij Trevor, bijvoorbeeld. Maar ik voelde me veilig. Nu iedereen wist van wie het kastje was, zou hij meteen als dader genoemd worden als mij iets minder leuks zou overkomen.

Toch durfde hij te dreigen.

'Ik neem je nog eens ongelooflijk te grazen, monster,' zei hij op een dag, toen Becky en ik naar huis liepen. Hij greep me bij mijn kaken en draaide mijn hoofd naar zich toe.

'Een vampier is dodelijker dan een neanderthaler, Trevortje,' beet ik hem grijnzend toe, terwijl hij mijn gezicht bijna fijnkneep.

'Laat haar los,' zei Matt. Voor mij een teken dat zelfs Matt mijn grap heimelijk waardeerde. Als zijn beste vriend moest hij zo nu en dan toch ook doodmoe worden van Trevors gedrag.

'Geschifte weirdo!' siste Trevor woedend en hij haalde uit om me te slaan. Gelukkig kon Matt hem net op tijd wegtrekken. Ik had echt geen zin om na een lange schooldag ook nog op de vuist te moeten met Trevor.

'Wacht maar! Mijn tijd komt nog wel!' schreeuwde hij me na.

'Bel mijn advocaat maar!' riep ik terug, hopend dat ik in plaats van een advocaat geen plastisch chirurg nodig zou hebben.

Het hoogtepunt. Een grote groep scholieren dromde samen voor mijn kastje. Een eerstejaars maakte zelfs foto's.

Aan mijn kastdeurtje hing de climax waar iedereen op zat te wachten: Trevors witte Calvin Kleinonderbroekje, uitdagend vastgelijmd op mijn kastje. Met als onderschrift: *Wit is voor maagden, nietwaar, Trevor?* Zo. En die kreeg hij er niet zo gemakkelijk af. Iedereen zag het. En als ik zeg iedereen, dan bedoel ik *iedereen*!

'Raven, je hebt schooleigendom beschadigd!' ging directeur Smith later op de dag tegen me tekeer. Ik was al zo vaak in zijn kantoor geweest. Het was alsof ik een oude vriend terugzag.

'Die kastjes hangen hier al eeuwen, Frank,' antwoordde ik. 'Misschien wordt het tijd dat je het schoolbestuur om nieuwe vraagt.'

'Ik heb het idee dat je de ernst van de zaak onderschat, Raven. Je hebt een kastje beschadigd en een eerbare student in verlegenheid gebracht.'

'Eerbaar?! Vraag maar eens aan je cheerleaders en de helft van de andere meisjes hoe vaak meneer Eerbaar hen in verlegenheid heeft gebracht!'

Directeur Smith tikte gefrustreerd met zijn potlood op tafel. 'Je moet iets gaan doen, Raven. Op een club gaan of zo. Ergens waar je vrienden kunt maken.'

'De schaakclub, hebben ze daar misschien een plekje vrij? Of had je meer de bridgeclub in gedachten?' vroeg ik sarcastisch.

'Er zijn ook wel andere bezigheden.'

'O ja? Kun je me een plek garanderen in het cheerleadersteam? Om je tegemoet te komen doe ik dan wel een plooirokje aan. Zwart uiteraard.'

'Dat is iets waar je je dan voor in zou kunnen zetten. En ik weet zeker dat je het goed zou doen,' probeerde directeur Smith.

'En natuurlijk hebben eerbare studenten als Trevor Mitchell veel respect voor cheerleaders,' bleef ik sarcastisch.

'Raven, de middelbare school is voor niemand makkelijk. Zo is het nu eenmaal. Zelfs mensen van wie jij denkt dat ze zich hier thuis voelen, voelen zich niet altijd thuis. Kijk naar jezelf, Raven. Jij hebt heel veel mogelijkheden. Je bent fantasierijk, je bent intelligent. Je komt er wel uit. Maar verniel tijdens je zoektocht geen kastjes meer.'

'Het is wel goed, Frank,' zei ik en ik pakte het nablijfstrookje. 'Tot ziens.'

'Hopelijk niet zo snel. Oké, Raven?'

'Ik zal mijn best doen om eerbaar te blijven, Frank,' zei ik met een knipoog en ik trok de deur achter me dicht.

De volgende dag stond er iets op mijn kastdeurtje wat niet uit mijn koker kwam. In grote zwarte letters: RAVEN IS EEN GRIEZEL!

Ik lachte. Aardig van je, Trevor, hartstikke aardig. Het was de eerste keer in al die jaren dat hij me een complimentje gaf!

Halloween

Mijn favoriete dag van het jaar! De enige dag dat ik er trots op mag zijn om in vampierstijl rond te lopen. De enige dag dat iedereen me accepteert, me complimentjes geeft, en me ook nog beloont met handenvol boterkoekjes, lolly's en ander snoep.

Maar dit jaar besloot ik om me echt te verkleden. Het was te gek om kleren te kopen in winkels waar ik normaal nooit kom, en om spullen van mam te lenen. Ik deed een paardenstaart in mijn haar, stak er roze vlinderspeldjes in, trok een weelderig, zachtroze, lamswollen truitje aan en om het helemaal te gek te maken een wit tennisrokje. Mijn gezicht fleurde ik op met mams basismake-up, rouge op mijn wangen en rode lippenstift op mijn mond. En dan natuurlijk paps tennisracket om het af te maken. Om te wennen aan mezelf liep ik rondjes om het huis, terwijl ik dingen in mezelf mompelde als: 'Mam, na de tennisles kom ik meteen naar huis!'

Nerd Boy had niet in de gaten dat ik het was, toen ik in de keuken langs hem liep. Zijn mond viel open, toen hij doorkreeg dat ik niet de buurvrouw was die suiker kwam lenen.

'Jeetje … ik heb je nog nooit zo … gezond gezien,' zei hij. Zelf was hij als honkbalspeler verkleed. Ik kreeg meteen braakneigingen.

Mijn ouders wilden foto's maken. Kun je je dat voorstellen? Ze gedroegen zich alsof ik ging trouwen. Nou ja, ik denk dat pap nu eindelijk een foto van mij op kantoor heeft hangen. Een waarmee hij voor de dag durft te komen.

Later op de dag aten Becky en ik iets in een cafetaria. Iedereen keek me aan alsof ik nieuw in Oersaai was. Echt waar, niemand herkende me. In het begin vond ik het wel grappig, maar op den duur verveelde het.

Ze staarden naar me als ik in het zwart was en ze staarden naar me als ik in het wit was. Het leverde dus niets op! Toen kwam Trevor binnen, uitgedost als blonde Dracula. Zijn haar sluik naar achteren, plastic hoektanden, opwindende rode lippen en een grote zwarte cape.

Hij was samen met Matt en duidelijk op zoek naar mij, om me met zijn nieuwe outfit te confronteren. Uiteindelijk kreeg Matt ons in de gaten, maar zelfs toen zag Trevor het nog niet. Hij keek, hij keek nog eens, knipperde met zijn ogen en kon blijkbaar niet geloven wat hij zag. Hij bekeek me van top tot teen. Je zou bijna denken dat ik iets van hem aanhad. Of dat hij plots in mij zijn ware liefde had herkend. Hij kon zijn ogen niet van me afhouden!

Ik was er zeker van dat hij mijn kant op zou komen en iets doms zou zeggen, maar in plaats daarvan gingen Matt en hij met hun rug naar ons toe zitten. En tot mijn verbazing gingen ze zelfs eerder weg. Eindelijk, dacht ik, eindelijk ben ik van hem af!

Mijn kleine, uitgeholde pompoenmandje was al bijna vol met Snickers, lolly's, kauwgom en nog veel meer lekkers. Maar het leukste waren de spinringen en de neptattoos! We waren de hele stad al rond geweest en nu vroegen we ons af wat we bij het mysterieuze Landhuis konden verwachten. We wilden het beste voor het laatst bewaren en dat was precies wat alle anderen ook deden!

Er stond een rij voor de deur! Het leek wel of we in Disney World waren. Demonen, punks, slijmerds, Mickey Mouse, Fred Flintstone en Homer Simpson stonden allemaal in spanning op hun beurt te wachten. Plus een groepje keurig gekamde ouders, die ook stiekem een blik naar binnen wilden werpen. Het circus was in de stad en iedereen wilde de clowns zien!

'Hij is echt eng,' zei een twaalfjarige Frankenstein tegen een vier turven hoog Weerwolfje, toen ze langs ons liepen.

Nerd Boy kwam ons tegen toen hij de oprijlaan afliep.

'Het is de moeite waard om te wachten, Raven. Je zult het te gek vinden! Dit is mijn zus!' zei hij trots tegen zijn slome Batmanvriendje, die me met verliefde eerstejaarsogen aangaapte.

'Heb je verschrompelde koppen gezien? Monsters met scherpe hoektanden?' vroeg ik.

'Nee.'

'Dan verdoen we misschien toch onze tijd, Becky.'

'Die oude man is echt vreemd. Zelfs zonder kostuum ziet hij er angstaanjagend uit!'

Ik zag dat Nerd Boy gewoon contact met me wilde. Dit was namelijk de eerste keer dat hij met me op kon scheppen tegenover een vriendje. Maar ik zag ook dat hij verwachtte afgebekt te worden.

'Bedankt voor de info,' zei ik.

'Bedankt? O ja … natuurlijk. Geen dank, zus.'

'Ik zie je straks thuis wel, kunnen we misschien nog snoep ruilen.'

Nerd Boy knikte instemmend. Toen liep hij lachend verder, alsof hij eindelijk zijn grote zus had ontmoet.

Becky en ik wachtten opgewonden op onze beurt. We stonden achter in de rij. Voor ons Charlie Brown en de heks. Toen zij uiteindelijk wegliepen met hun buit, werd de deur gesloten. Ik bekeek de deurklopper, die de vorm van een S had, en vroeg me af of de naam van de eigenaar daarmee zou beginnen. Toen ik de S wat nauwkeuriger bekeek, zag ik dat het een serpent was met smaragdgroene ogen. Zachtjes klopte ik ermee op de deur. Niets.

'Laten we gaan,' zei Becky zenuwachtig.

'Nee, kom op, zeg, hier hebben we uren op gewacht! Ik ga niet terug voordat ik wat snoep gekregen heb. Dat is hij gewoon aan ons verplicht!'

'Ik ben moe,' zei Becky. 'We hebben de hele nacht al rondgesjouwd en dit is waarschijnlijk zo'n rare oude vent, die nu wil gaan slapen. Net als ik.'

'We kunnen nu niet gaan.'

'Ik ga wel naar huis, Raven.'

'Jezus, ik kan niet geloven dat je zo schijterig bent. Ik dacht dat je mijn beste vriendin was?'

'Ben ik ook, maar het is laat.'

'Oké, oké. Ik vertel je morgen wel alles over de oude engerd.'

Er liepen genoeg mensen op straat, dus ik durfde die bange Becky wel alleen te laten gaan. Ze zou wel veilig thuiskomen. Maar ik? De heerlijke rillingen liepen me over de rug.

Terwijl ik naar de serpentklopper keek, vroeg ik me af wie er aan de andere kant van die dikke houten deur stond. Misschien zou de nieuwe eigenaar me onverwachts naar binnen sleuren en me gevangenhouden in zijn spookhuis. Ik kon alleen maar hopen!

Ik klopte nog eens op de deur en wachtte. En wachtte.

Ik klopte nog eens. Wat harder. En toen bonsde ik. En bonsde en bonsde en bonsde. Mijn hand deed pijn. Ik schoot opzij toen ik plotseling hoorde dat er sloten losgemaakt en grendels verschoven werden en ... de deur ging krakend open. Ik sprong terug en daar stond hij, half verscholen achter de deur. De Engerd.

Hij was lang en mager, zijn gezicht en handen waren wit als sneeuw en staken scherp af tegen zijn zwarte butlerpak. Hij was helemaal kaal. Niet dat hij zijn haren kwijt was geraakt, nee, hij had ze vast nooit gehad. En hij had uitpuilende groene, monsterachtige ogen. Ik viel als een baksteen voor hem!

'We hebben geen snoep meer, juffrouw,' zei hij met een zwaar buitenlands accent.

'Echt? Dat kan niet. U heeft vast nog wel iets. Een beschuitje pindakaas is ook goed, of een tosti?'

Hij deed de deur wat verder open, niet meer dan noodzakelijk. Ik kon niets zien achter hem. Hoe zou het er binnen uitzien? Was er veel veranderd sinds die keer dat ik in Het Landhuis binnengeslopen was, vier jaar geleden? En wie waren 'we'? En zagen die er net zo eng uit? We konden allemaal vrienden worden. Geen punt. Ik voelde een paar ogen op me gericht. Aha, er was nog iemand. En ik deed een stapje naar voren.

'Sorry, juffrouw, maar we hebben geen kruimeltje meer over.' Hij deed de deur dicht.

'Wacht!' riep ik en ik kon mijn voet nog net in de deuropening zetten. Ik deed een greep in mijn pompoenmandje en haalde er een baby-Snickers en een spinring uit. 'Welkom in de buurt,' zei ik. 'Dit is mijn favoriete snoep en dit is mijn favoriete Halloweensieraad. Ik hoop dat u er ook van houdt.'

Hij lachte nauwelijks. Maar toen ik de traktaties in zijn skeletachtige bleke hand legde, kon hij een kreunende, krakende, tandeloze lach niet onderdrukken. Zelfs zijn uitpuilende ogen leken even te glinsteren.

'Tot ziens!' zei ik en ik danste weg.

Ik had de Engerd gezien! Iedereen kon zeggen dat ze iets van hem gekregen hadden, maar wie kon zeggen *hem* iets gegeven te hebben?

Rondjes draaiend, danste ik over het gazon voor het huis en keek ik op naar het grote landhuis. Een schaduw. Achter het zolderraam. Meteen stond ik stil, maar de schaduw was verdwenen. Wat overbleef, waren de plooien van een donker gordijn.

Het was waar! Er waren dus nog meer engerds! Ik wilde ze allemaal ontmoeten!

Ik was net het smeedijzeren hek voorbij, toen een bleke vampier in zijn rode Camaro langs de stoeprand stopte.

'Zin in een rit, schatje?' vroeg Trevor. Matt de Schaduw zat comfortabel achter het stuur.

'Ik mag niet met vreemden praten van mijn moeder,' zei ik en ik nam een hap van een Snickers. Ik had geen zin in Trevor.

'Ik ben geen vreemde, liefje. Ben jij niet wat te oud om nog langs de deuren te gaan?'

'Ben jij niet wat te oud om je zo vreemd uit te dossen?' Ik nam nog een hap van mijn Snickers.

Trevor stapte uit en kwam naar me toe. Hij zag er sexy uit. Maar ja, ik vind alle vampiers sexy, zelfs nepvampiers.

'En wat moet jij dan wel voorstellen?' vroeg hij, terwijl hij me van top tot teen opnam.

'Zie je dat niet? Ik heb me verkleed als freak.'

Hij wilde zo graag cool zijn, maar hij overschatte zichzelf. Ik was het enige meisje dat 'nee' tegen hem zei. Door mijn kleding en mijn gedrag was ik voor hem altijd een raadsel geweest. En nu stond ik hier plotseling als zijn perfecte droommeisje.

'Dus jij bent alleen op bezoek geweest op Amityville?' Hij keek naar Het Landhuis. 'Je bent een ondeugend meisje, hè?' Zijn blik bezorgde me koude rillingen. Hij was bijna onweerstaanbaar in zijn Draculamantel.

Ik zei niets.

'Ik wed dat je nog nooit een vampier gekust hebt,' zei hij en zijn plastic tanden glansden in het maanlicht.

'Als je er een ziet, laat het me dan weten.' Verveeld draaide ik me om.

Hij pakte me bij mijn schouder.

'Hou er toch mee op, Trevor!'

Hij trok me naar zich toe. 'En ik heb nog nooit een tennismeisje gekust,' probeerde hij grappig te zijn.

Het was zo banaal dat ik wel moest lachen. Hij kuste me vol op de mond, met plastic tanden en al. Ik liet hem maar. Misschien was ik nog wat duizelig van het gedraai op het gras.

Eindelijk stopte hij.

'Goed, dat was het dan wel weer.' Ik duwde hem weg. 'Volgens mij zit je chauffeur al een tijdje op je te wachten.'

'Ik heb nog geen snoep gehad!' jengelde hij. Zijn hand verdween in mijn pompoen en haalde er een paar Snickers uit.

'Hé, dat zijn de lekkerste!' protesteerde ik. 'Neem maar een lolly of zo, dat is ook beter voor je tanden.'

Hij zette zijn vampiertanden al in het kleverige snoepgoed. De tanden lieten los en vielen uit zijn mond. De chocola en karamel dropen ervan af. Snel probeerde ik nog wat van de andere Snickers te redden, maar Trevor pakte mijn arm, waardoor alle snoep uit mijn pompoen viel.

'Kijk nou wat je doet, eikel!' riep ik. Ik had zin om zijn echte tanden ook uit zijn mond te rukken!

Hij graaide zo veel mogelijk snoep bijeen en propte zijn zakken vol. De rest lag verspreid op het gras. Wat er nog over was, waren wat saaie Smarties en sleuteldroppen.

'Zo, wil je nog steeds opvallen?' vroeg hij, zijn zakken vol met mijn resultaat van een avond langs de deuren lopen. Hij trok me weer naar zich toe. 'Wil je nog steeds mijn vriendinnetje zijn?'

Plotseling duwde hij me weg. 'Goed, dan ga ik nu aan het echte werk beginnen.' Hij draaide zich om en liep in de richting van Het Landhuis.

Deze keer hield ik *hem* tegen. Wie weet wat hij van plan was?

'Mis je me nu al?' vroeg hij, verbaasd dat ik niet weggerend was.

'Ze hebben geen snoep meer,' zei ik.

'Dat zullen we dan nog wel eens zien!'

'Trevor, de lichten zijn uit. Ze slapen.'

'Ha, ik krijg ze wel wakker!' Hij haalde een verfspuitbus onder zijn cape vandaan. 'Ik ga ze welkom heten in onze buurt. Het huis kan wel een likje verf gebruiken!'

Hij liep de oprijlaan op. Ik erachteraan.

'Nee, Trevor. Niet doen!'

Hij duwde me gewoon weg. Het enige in de stad wat echt mooi was, ging hij bekladden!

'Nee!' gilde ik.

Hij haalde de dop eraf en schudde de spuitbus op en neer.

Ik probeerde zijn arm weg te trekken, maar hij duwde me op de grond.

'Even kijken ... wat denk je hiervan: *Welkom ... in ... de ... buurt ... vampiers!?*'

'Niet doen, Trevor, stop!'

'En weet je wat? Ik zal met jouw naam ondertekenen.'

Hij zou niet alleen hun huis bekladden, maar ook nog mij de schuld geven. Hij schudde de bus nog eens en begon weer te spuiten: *M ...*

Ik sprong overeind en zwaaide mijn racket naar achteren. Vroeger speelde ik tegen mijn vader, maar geen wedstrijd was ooit zo belangrijk geweest als deze. Ik moest winnen. Ik fixeerde mijn ogen op de aluminium spuitbus, dat was de bal, en ik gaf hem een dreun ... alsof ik de finale op Wimbledon speelde. De bus tolde door de lucht en zoals gewoonlijk vloog mijn racket erachteraan. Trevor schreeuwde zo hard, dat de hele stad het wel moest horen. Waarschijnlijk had ik toch meer geraakt dan de spuitbus.

Plotseling floepte het licht achter de voordeur aan en hoorde ik het gerinkel van sloten die van de ketting gingen.

'We moeten maken dat we wegkomen!' schreeuwde ik tegen Trevor, die ineengehurkt zat en zijn bebloede hand vasthield.

Ik stond op het punt te vluchten toen ik iets voelde wat ik nooit eerder gevoeld had: een aanwezigheid. Ik draaide me om en slaakte een geluidloze kreet. Ik hapte naar adem. Stijf van angst stond ik daar.

Daar was hij. Niet de Engerd. Niet meneer of mevrouw Landhuis. Maar Gothic Guy, Gothic Ziel, Gothic Prins. Hij stond voor me. De Prins der Duisternis!

Zijn lange zwarte lokken vielen zwaar op zijn schouders. Zijn ogen waren zwart, diep, prachtig, eenzaam, verlangend, onweerstaanbaar intelligent. Poorten naar zijn duistere ziel. Roerloos stond hij voor me, hij ademde me in. Hij was lijkbleek, net als ik. Zijn zwarte T-shirt zat strak om zijn lijf en was in een zwarte jeans gestopt, die weer in monsterlijk stijlvolle punkrockkisten verdween.

Gewoonlijk is angst iets dat me overkomt als mijn moeder gastvrouw is voor een Mary Kate-avond en ik als model moet optreden. Maar nu we ons op privé-eigendom bevonden, werd mijn enorme nieuwsgierigheid naar dit vreemde wezen overschaduwd door de verschrikking opgepakt te worden.

Voor één keer kwamen de tennisschoenen goed uit. Ik rende zo hard ik kon en liet Trevor gewond achter me. Schreeuwend achtervolgde hij me. 'Jij rotmonster! Je hebt mijn hand gebroken!'

Ik spurtte door het open hek en sprong in de wachtende Camaro. 'Rijden!' gilde ik. 'Nu!'

Matt schrok zich rot. Hij wist niet wat hij zag.

'Schiet op, rijden! Anders zeg ik de politie dat jij er ook bij betrokken was!'

'De politie?!'

Een woedende graaf Trevor Dracula kwam aanrennen. Zijn zwarte mantel wapperde in de wind. Hij was al bijna bij het hek.

'Rijden! Start die kloteauto!' schreeuwde ik mijn longen er bijna uit.

Matt startte de motor en we scheurden weg. Toen ik me omdraaide, zag ik de krijsende Dracula zonder tanden buiten zichzelf van woede achter ons aan rennen.

'Leuk Halloween,' zei ik tegen Matt. Met een zucht van opluchting liet ik me wegzinken in de stoel.

'Ja,' zei Matt, ook met een zucht.

Het tennisracket

Toen ik naar geschiedenisles ging, zag ik Trevor voor me lopen in de gang. Er viel me iets op aan zijn normale schoolkleding: hij droeg een golfhandschoen aan zijn rechterhand.

'Probeer je een trend te zetten?' plaagde ik hem, toen ik hem ingehaald had. 'Of heb je met je handen gevoetbald?'

Hij negeerde mijn pesterige opmerkingen en liep gewoon door.

'Je zult wel een paar lessen op de Graffiti Club missen,' ging ik door. 'Zonder je spuitvingertje begin je niet veel, hè?'

Hij bleef staan, keek me met ijskoude blik aan, maar bedacht zich blijkbaar en liep verder.

Wauw! Ik had meer geraakt dan alleen zijn hand! Toen begreep ik het. Het was hem allemaal een beetje te veel geworden. Ik had hem te kijk gezet, zijn vriendinnen ontnomen en zijn beste vriend gedwongen partij te kiezen voor de vijand. Ik had medelijden met hem. Bijna.

Trevor bleef opnieuw staan. Hij keek woedend op me neer en even dacht ik dat hij zou ontploffen. Op dat moment werd mijn aandacht getrokken door een vreemde figuur die stond te praten met de secretaresse van de directeur. De Engerd? Doorschijnend wit stond hij daar, in het felle tl-licht, met een lange, zware jas, ruim hangend over zijn magere schouders. En in zijn knokige bleke hand hield hij … mijn vaders tennisracket!

Ik trok de pissige Trevor tegen de muur, waar we veilig het gesprek konden volgen.

'Wat doe je nu weer?' vroeg Trevor, terwijl hij probeerde door te lopen.

'Sst! Dat is die butler van Het Landhuis!' fluisterde ik.

'Nou en?'

'Hij zoekt ons!'

'Waarom zou hij ons zoeken? Het was stikdonker, idioot!' zei Trevor kwaad.

'Hij heeft waarschijnlijk jouw spuitbus op het gras gevonden en de shit die je op de muur gespoten hebt!'

'Hij weet niet van wie dat is.'

'Hij heeft anders wel mijn vaders tennisracket!' zei ik. 'En ik zag iemand vanuit het zolderraam naar ons kijken!'

'Verdomme, stomme freak, als jij me niet had geslagen, was dit niet gebeurd!' vloekte Trevor.

'Als jij maar nooit het licht had gezien, dan waren er veel meer dingen niet gebeurd, eikel! Nou, hou je mond!'

'U kunt dat racket wel hier achterlaten, dan hangen we een berichtje op het prikbord,' hoorde ik mevrouw Gerber vriendelijk zeggen. 'Wat droeg het meisje ook alweer, zei u?'

'Een tennispakje, mevrouw.'

'Voor Halloween?' Mevrouw Gerber lachte en wilde het racket aannemen.

Maar de Engerd deed een stapje terug. 'Ik hou het voorlopig liever in eigen bezit. Mocht de eigenaresse zich melden, dan weet u waar ze het racket op kan halen. Nog een goede dag,' zei hij, met een lichte buiging voor de aangenaam verraste mevrouw Gerber.

Ik flipte en trok Trevor achter het beeld van Teddy Roosevelt. 'Dit is een valstrik!' zei ik, terwijl ik in Trevors hand kneep. 'Als ik naar Het Landhuis ga om mijn racket op te halen, staat de politie daar natuurlijk met de handboeien klaar!'

De Engerd liep tergend langzaam naar de voordeur, ondertussen om zich heen glurend. Hij zocht ons!

'Hij neemt het bewijs mee,' fluisterde ik. 'En dat bewijs is zeker vierhonderd piek waard.'

'Ja,' zei Trevor. 'Bewijs tegen jou!'

'Tegen mij?'

'Ja, jij werd kwaad omdat hij geen snoep meer had, dus begon je zijn huis onder te spuiten, totdat hij je hoorde. Toen de lichten aanfloepten, liet je van schrik de spuitbus en het racket vallen en ging ervandoor,' zei Trevor, alsof hij Sherlock Holmes zelf was, die even het Mysterie van het Vermiste Racket oploste.

'Misschien zag die figuur achter het zolderraam jou ook!'

'Ach, ik was niet de enige die als Dracula verkleed ging,' zei Trevor, niet onder de indruk.

'Dus je laat mij hiervoor opdraaien? Ik kan het niet geloven!'

'Maak je geen zorgen, schatje. Ze zullen je niet achter de tralies stoppen, maar je krijgt wel een enorm pak slaag van die oude engerd.'

Ik was al vaker in moeilijkheden geraakt door mijn eigen schuld, maar ik had geen zin in moeilijkheden die door anderen veroorzaakt waren!

Trevor ging naar het klaslokaal.

Ik haalde hem in. 'Als er ook maar iets gebeurt, dan sleep ik je er met de haren bij!'

'Wie denk je dat ze zullen geloven, dombo. Een eerbare student, sterspeler in het schoolvoetbalteam, of een vampiertrut zonder noemenswaardige vrienden, die meer tijd in het kantoor doorbrengt dan in het klaslokaal?'

'Je bent me een tennisracket schuldig!' schreeuwde ik nog wanhopig.

Toegegeven, Trevor had zijn zoete wraak voor de Naakte Nacht. Door hem was ik nu paps 'onbetaalbare' racket kwijt. Maar wat erger was: door hem leek ik nu een vijand van de enige mensen in de stad die me misschien zouden begrijpen en mijn vrienden zouden kunnen zijn. Die een stukje vrijheid voor mij betekenden, een verbinding met de mensheid. Maar door Trevor waren de nieuwe bewoners van Het Landhuis al onbereikbaar geworden voordat ik ze had leren kennen.

De hel

'Wat?!' schreeuwde mijn vader, toen ik onder het eten vertelde dat ik zijn racket was kwijtgeraakt.

'Ja, ik ben het niet echt kwijt. Ik heb het alleen niet meer.'

'Dan zorg je maar dat het terugkomt!'

'Dat is nu even onmogelijk, op dit moment.'

'Ik heb een wedstrijd morgen!' zei mijn vader dreigend.

'Ik weet het pap, maar er zijn toch wel andere rackets?' Ik probeerde het belang van dat ene speciale racket te bagatelliseren. Fout!

'Andere rackets? Is het zo simpel voor jou? Koop een ander racket?'

'Zo bedoelde ik het niet … Ik …'

'Het is al erg genoeg dat je schooleigendom naar de filistijnen helpt!' Hij werd steeds bozer.

'Het spijt me pap, maar …'

'Met spijt kom je er deze keer niet, meisje. Spijt brengt mij morgen de winst niet. Mijn racket …! Ik kan het niet geloven. Alleen al dat ik zo stom was om het je mee te geven!'

'Maar pap, toen jij zo'n hippe puber was, maakte jij toch ook wel eens fouten?'

'Zeker! En daar moest ik ook voor boeten! Net zoals jij nu voor mijn racket zult boeten.'

Ik had nog maar een schijntje op mijn bankrekening staan. Dat was alles wat er over was van mijn zestiende verjaardag. En ik had ook nog een schuld bij de dvd-winkel. Het rekensommetje was snel gemaakt. Ik zou tot mijn dertigste moeten afbetalen bij pap!

Toen zei hij de drie woorden die me duizelig maakten van razernij en ik dacht dat ik uiteen zou spatten in miljoenen ongelukkige stukjes.

'Je gaat werken!' zei hij beslist. 'Het wordt tijd dat je een baantje zoekt. Misschien dat je dan leert wat verantwoordelijkheid is!'

Een baan! Dat was erger dan de hel!

'Kun je me niet gewoon slaan?' riep ik ontsteld. 'Of aan de ketting leggen? Of jarenlang niet tegen me praten, net als die ouders uit die praatprogramma's? Pap, alsjeblieft?!'

'Nee, dit is de grens! Punt uit! Als je zelf geen baantje kunt vinden, dan zal ik je wel helpen.'

Ik vluchtte naar mijn kamer en huilde als Nerd Boy in zijn beste babyjaren. Ik jankte mijn longen eruit. 'Jullie snappen gewoon niet hoe het is om een puber van mijn generatie te zijn!' Enzovoort, enzovoort.

Terwijl ik lag te janken, probeerde ik me voor te stellen hoe ik Het Landhuis in zou sluipen, net als toen met Jack Patterson, toen ik twaalf was. Deze keer om het racket terug te halen.

Maar ik wist goed dat mijn heupen sindsdien een stuk breder waren geworden en dat het raam verplaatst was. En de nieuwe eigenaars zouden zeker een beveiligingssysteem aangebracht hebben. Bovendien, waar moest ik zoeken in een huis met zoveel kamers en kasten? En je zou zien dat ik, net op het moment dat ik fanatiek aan het zoeken was, tegen de Engerd aan zou lopen, zwaaiend met een pistool. Nee, een part-timebaantje was niet geweldig, maar wel het minst gevaarlijke scenario.

Hoewel ik nog nooit had gehoord van een vampier met een baan!

Connecties. Die zijn natuurlijk oké, als het over Steven Spielberg gaat, of over de Koningin van Engeland. Maar Janice Armstrong van Armstrong Reisbureau deed bij mij toch echt geen belletje rinkelen.

Drie dagen in de week na schooltijd telefoontjes beantwoorden met zo'n truttenstemmetje, tickets verzorgen met zo'n verborgen glinstering in mijn ogen, met yuppies praten die al voor de vierde keer naar Europa vlogen, dat was een ramp. Maar de grootste, allergrootste ramp was de totaal burgerlijke kledingeis.

'Het spijt me, maar dit soort kleding kun je hier niet dragen …' begon Janice, terwijl ze naar mijn schoenen keek. 'Hoe noem je die?'

'Legerkistjes,' antwoordde ik.

'Wel, we zijn hier niet in het leger. Je mag wel lippenstift dragen, als het maar rood is.'

'Rood?!'

'Ja, elke tint rood die je maar wilt, hoor.'

Heel aardig van je, Janice. 'Wat dacht je van roze?'

'Roze zou geweldig zijn. En je moet rokken dragen, maar niet te kort.'

'Rode rokken, misschien?' vroeg ik.

'Nee, hoeft niet rood te zijn. Groen of blauw kan ook.'

'Ongeacht welke tint, neem ik aan?'

'Natuurlijk.'

Als ze deed alsof ik een idioot was, dan zou ik me ook wel even zo gedragen.

'Wat betreft de nagellak,' begon ze, kijkend naar mijn nagels.

'Geen zwart, maar rood, en roze zou geweldig zijn?' somde ik op.

'Heel goed,' zei Janice, vriendelijk knikkend. 'Je raakt al aardig ingeburgerd!'

'Daar ben ik ook bang voor,' mompelde ik. Ik stond op om te vertrekken. Ik keek op mijn horloge. Het had vijftien minuten geduurd, maar het leek wel een uur. Die baan zou een ware marteling worden.

'Dan zie ik je morgen om vier uur. Nog vragen, Raven?'

'Ja, krijg ik dit gesprek betaald?'

'Je vader heeft me verteld dat je intelligent bent, maar hij is vergeten te vertellen dat je ook zo'n speciaal gevoel voor humor hebt. We zullen het best samen kunnen vinden! Wie weet, misschien begin je later zelf wel een reisbureau!'

Juffie Haring, mijn beruchte kleuterjuf, zou trots geweest zijn.

'Ik weet al wat ik wil worden,' antwoordde ik. Vampier, wilde ik zeggen, gewoon, ter herinnering aan vroeger. Maar dat zou ze natuurlijk niet begrijpen.

'Wat dan?'

'Beroepstennisspeelster, dan krijg je je rackets voor niks!'

Mijn moeder had afschuwelijk felkleurige, modieuze dameskleding voor me gekocht. Zo werd ik naadloos in de zakenwereld van Oersaai gepast. Ik haalde de boel uit de boodschappentas en flipte compleet toen ik de prijskaartjes zag.

'Jezus! Dit kost meer dan het tennisracket. Hou het maar, dan staan we quitte.'

'Daar gaat het niet om!'

'Nee? Hier wel om dan?'

Met tegenzin hield ik de oranjerode bloes voor me. Mijn moeder keek naar me alsof ik de droomdochter was die ze zich altijd gewenst had.

'Ben je vergeten dat jij linten in je haren droeg, superkleine topjes en afgeknipte spijkerbroeken?' vroeg ik. 'Wat ik draag, is voor mijn generatie niet zoveel anders.'

'Ik ben dat meisje niet meer, Raven. Bovendien gebruikte ik geen lippenstift. Ik was *puur natuur.*'

'Jak,' zei ik en ik trok een vies gezicht.

'Een puber zijn is moeilijk, ik weet het. Maar uiteindelijk vind je jezelf wel.'

'Ik heb mezelf al gevonden! En werken in een reisbureau, met een roze bloes aan en van die achterlijke kousen, helpt me echt niet om mijn innerlijke ik te vinden!'

'Och, liefje.' Mijn moeder probeerde me te omhelzen. 'Op jouw leeftijd denk je dat niemand je begrijpt en dat de hele wereld tegen je is.'

'Welnee, alleen maar iedereen in dit stadje. Ik zou gek worden, mam, als ik dacht dat de hele wereld tegen me was!'

Ze wilde me weer omhelzen en deze keer liet ik haar maar. 'Raven, ik hou van je,' zei ze, zoals alleen een knuffelige moeder dat zeggen kan. 'Je bent prachtig in zwart, maar oogverblindend in rood!'

'Hou op, mam, je kreukt mijn nieuwe bloes!'

'Ik dacht dat je het nooit zou zeggen!' En toen drukte ze me bijna fijn.

Het naschoolse parttimebaantje werd een feit. Hoe kon ik meer te weten komen over de familie Landhuis als ik de hele middag moest werken? Al die modieuze 'dry clean only'-kleren moest ik meeslepen naar school en zolang netjes in mijn kastje hangen.

Mijn nieuwe naschoolse marteling verscheurde me vanbinnen.

'Waarom gaat die gozer van Het Landhuis niet naar school?' vroeg ik Becky terwijl ik me omkleedde.

'Misschien is hij nog niet geregistreerd.'

'Als ik deze belachelijke baan niet zou hebben, konden we dat meteen gaan uitzoeken. Jak!'

Jaloers bedacht ik dat Becky lekker naar huis kon gaan, naar het land van kabeltv en magnetronpizza, terwijl ik op weg was van mijn schoolbureau naar mijn werkbureau.

Nadat ik afscheid genomen had van Becky, glipte ik de toiletruimte in. Met een natte tissue veegde ik de zwarte lippenstift af en verving die door een stralend rode tint, die zo afstak tegen mijn bleke gezicht, dat ik er nu echt als een geest uitzag. Met weerzin trok ik mijn tomaatrode truitje aan en de bijpassende katoenen rok. 'Ik zal jullie missen,' zei ik tegen mijn zwarte jurk en de kistjes, 'maar het is gelukkig maar voor een paar uur.' Toen borg ik ze op in mijn rugzak.

Nog één keer keek ik in de spiegel en ik bedacht dat het nu wel prettig geweest zou zijn als ik een vampier was. Dan zag ik tenminste niets. In plaats daarvan zag ik een ongelukkig meisje in een strak rood truitje.

Ik sloop de toiletruimte uit, keek zorgvuldig naar links en rechts en probeerde ongezien de school te verlaten. Helaas.

Trevor stond op de schooltrappen!

Ik baalde natuurlijk als een stekker toen ik hem zag, maar liep gewoon door en negeerde hem. Het liefst zou ik rennen, maar ik was niet gewend aan die smalle schoentjes met hakken.

'Hé, Halloween is voorbij!' riep Trevor, terwijl hij achter me aan kwam. 'Waar is je tennispakje? Of ga je als The Lady in Red naar een gemaskerd bal?'

Ik bleef hem negeren, maar hij pakte mijn arm.

Ik was echt niet van plan hem te vertellen dat ik werkte, of waar ik werkte, of erger, dat ik moest werken door zijn schuld. Hij zou zich alleen maar een bult lachen.

Hij keek me aan. Dezelfde blik als toen ik het tennispakje aanhad. Deze keer was ik zijn droomzakenmeisje.

'Waar ga jij heen?' vroeg hij.

'Gaat je geen reet aan!'

'Echt niet? Ik dacht dat wij geen geheimen voor elkaar hadden?'

'Flikker op!'

'Weet je, dan loop ik gezellig met je mee.'

Ik bleef staan. 'Jij loopt niet met me mee! Jij gaat nergens heen met mij. Nu niet en nooit niet! Je laat me met rust! Eens en voor altijd!'

'Tjonge, je lijkt helemaal niet je lieflijke zelf,' zei hij lachend. 'Slechte dag? Zit je haar niet goed? Daar moet je nu toch aan gewend zijn!'

'Trevor, het is voorbij. Jouw spelletjes, mijn spelletjes, voorbij! Je hoeft me niet meer lastig te vallen. We staan quitte. We staan voor altijd en eeuwig quitte. Oké? Goed, sodemieter dan nu op!'

Ik stormde weg. Met Trevor achter me aan.

'Is het uit? Goh, ik wist niet dat we verkering hadden, schatje. Ga alsjeblieft niet bij me weg!' smeekte hij lachend.

Snel passeerde ik het schoolhek en ik haastte me verder over het voetpad. Nog vijf minuten over om op tijd te komen.

'Ik kan niet zonder je!' riep hij theatraal wanhopig, terwijl hij me inhaalde. 'Ben je kwaad omdat ik je nooit zwarte tulpen heb gegeven? Laat me het goedmaken … Ik haal nieuwe kleren voor je … op het kerkhof.' Hij gierde van het lachen. 'Laat me niet alleen, schatje!'

'Hou je kop!' Ik was woedend. Waarschijnlijk had die lul een kapitaal in zijn kontzak, terwijl ik moest werken in zo'n dom reisbureau door zijn idiote gedrag.

'Vertel je me nou nog waar je naartoe gaat?' bleef hij doordrammen.

'Naar de hel!'

'Ja, dat weten we allemaal wel, freak. Maar waar ga je nu naartoe?'

'Trevor, hou op! Verdwijn! Ik vraag een straatverbod voor je aan, als het moet!'

'Heb je een afspraak?' Hij was niet van plan op te geven.

'Ga weg, man!'

'Heb je een vriendje?'

'Flikker op!'

'Ga je iemand interviewen? Een interview … met de vampier?'

'Ga toch weg, Trevor!'

'Of ga je … werken?'

Ik stopte. 'Nee! Ben je nu helemaal gek geworden? Dat is volslagen idioot!'

'Ah! Ja … ja! Ze heeft een baantje!' Hij danste om me heen. 'O, ik ben zo trots op je! Mijn kleine gothic babe heeft een baan!'

Ik ontplofte bijna.

'Je leven aan het beteren? Of moet je pappie terugbetalen voor dat onbenullige tennisracket?' vroeg hij treiterig.

Het duurde niet lang meer of ik zou zijn hoofd de lucht in meppen, in plaats van een spuitbus.

Op dat moment stopte Matt naast ons. 'Hé, Trevor, maat, je zou op de trappen wachten. Ik heb geen tijd om de hele stad rond te rijden om je op te sporen. Kom op, we moeten gaan.'

'Hè, eindelijk, de babysit is er,' zei ik.

'Normaal zou ik je een lift naar je werk aanbieden. Maar helaas, we hebben haast,' pestte Trevor.

Terwijl de Camaro wegzoefde, keek ik op mijn horloge. Geweldig! De eerste dag ... en meteen te laat!

Een vampier met een baan

De Big Ben, de Eiffeltoren, zonovergoten Hawaïaanse stranden. Ze straalden je tegemoet vanachter de receptie op het reisbureau. Een voortdurend geheugensteuntje dat er leven was buiten Oersaai. Maar dat het wel erg ver weg was.

Het enige opwindende aan het werk waren de roddelverhalen. In normale omstandigheden zouden de kleine stadsschandalen me snel vervelen: de burgermeester die gezien was met een pin-up; de lokale tv-verslaggever, wiens verhaal over een ontvoering door een buitenaards wezen uit de duim gezogen bleek; de leider van de padvindersclub die de opbrengst van een rommelmarkt in eigen zak gestoken had. Maar nu was het anders. Nu ging het over de familie Landhuis!

Ruby, mijn altijd opgewekte collega, hield me van de laatste nieuwtjes op de hoogte. Ruby was een wandelend roddelblad.

'Het is nog steeds niet duidelijk wat de vader van Het Landhuis doet, maar hij is in ieder geval steenrijk. De butler haalt alle boodschappen bij Wexleys, op zaterdagavond acht uur precies, en op dinsdag haalt hij de kleren van de stomerij. Allemaal zwarte pakken en mantels. De vrouw is een lange, lijkbleke dame, ongeveer vijfenveertig, met lang zwart haar en zwarte lippenstift!

'Het lijken wel vampiers,' concludeerde Ruby, niets wetend van mijn fascinatie. 'Men heeft ze alleen maar 's avonds gezien, net geesten, donker en dreigend, alsof ze recht uit een Draculafilm gestapt zijn. En ze hebben nooit gasten. Nooit! Zouden ze iets verbergen?'

Ik hing aan haar lippen.

'Ze wonen hier nu al meer dan een maand,' vervolgde ze, 'en ze hebben niets aan het huis gedaan, niet eens het gras gemaaid! Waarschijnlijk hebben ze zelfs extra piepende deuren in huis gezet!'

Janice schoot in de lach en liet de telefoon rinkelen. 'Mary Jacobs zei precies hetzelfde,' vertelde Janice. 'Kun je je voorstellen? Geen gras maaien, geen bloemen planten? Wat moeten de buren wel niet denken?'

'Misschien maakt het ze niet uit wat de buren denken. Misschien vinden ze het zo wel leuk,' onderbrak ik hen.

Ze keken me afkeurend aan.

'Nog iets,' zei Ruby. 'Ik hoorde dat die vrouw in Georgio's bistro was en daar Henry's speciale antipasto bestelde … zonder knoflook! Dat vertelde de zoon van Nathalie Mitchell, en daar weten ze altijd alles!'

Nou en? dacht ik. Ik hou van de volle maan, maar ben ik daarom een weerwolf? Wat een onzin. En waarom zou je Trevor en zijn familie geloven? Het belletje van de deur bracht de roddelsessie van vandaag tot een abrupt en onverwacht einde. Onze adem stokte even toen we de nieuwe klant zagen. De Engerd!

'Ik moet achter nog iets afmaken,' fluisterde ik tegen Ruby, die haar ogen niet van de magere man af kon houden.

Ik maakte dat ik wegkwam en keek niet om voordat ik veilig achter het kopieerapparaat stond. Maar het liefst was ik naar die goeie ouwe engerd toe gerend en had ik zijn magere lijf geknuffeld en mijn excuses aangeboden voor Trevors spuitstreek op Halloween. Ik had hem willen vragen of hij alles wilde vertellen over de wereld zoals hij die kende. Over zijn reizen en zijn avonturen. Maar ik was te schijterig.

'Ik wil graag twee vliegtickets naar Boekarest,' hoorde ik hem zeggen.

Ik ging op mijn tenen staan om hem te kunnen zien.

'Boekarest?' herhaalde Ruby.

'Ja, Boekarest, Roemenië.'

'Wanneer wilt u vertrekken?'

'Ik ga zelf niet. De tickets zijn voor meneer en mevrouw Sterling. Ze willen graag de eerste van de volgende maand vertrekken, voor dertig dagen.'

Ruby tikte in op haar computer. 'Twee plaatsen … Toeristenklasse?'

'Neenee, eerste klas alstublieft. Zolang de Sterlings maar bloedrode wijn van de stewardessen krijgen, blijven ze tevreden!' zei hij lachend, met een vet Europees accent.

Ruby beantwoordde de lach wat ongemakkelijk, maar ik verkneukelde me.

Ruby richtte zich weer op haar werk en haalde zijn creditcard door de kaartlezer. Daarna gaf ze hem de transactiebon.

'Alsof al het bloed uit je aderen trekt, de prijs van een vliegticket, vandaag de dag,' lachte de Engerd en hij tekende de bon.

Het klonk steeds beter!

'En u gaat zelf niet, meneer?' vroeg Ruby, in een duidelijke poging nog wat meer info te vergaren. Ruby op haar best!

'Nee, de jongen en ik blijven thuis.'

Jongen? Bedoelde hij Gothic Guy? Of hadden de Sterlings een jong kindje waar ik misschien op zou kunnen passen? Ik kon best verstoppertje met hem spelen in Het Landhuis.

'De Sterlings hebben een zoon?' vroeg Ruby.

'Hij gaat niet zo vaak uit. Zit op zijn kamer en luistert harde muziek. Dat doen ze tegenwoordig als ze zeventien zijn.'

Zeventien? Hoorde ik dat goed? Zeventien? Wauw! Een nieuwe jongen in Oersaai. Vers bloed in Oersaai! Misschien wel supercool. Een gothic guy! Maar waarom was hij niet op school?

'Hij wordt thuis onderwezen,' antwoordde de Engerd, alsof hij mijn gedachten gehoord had. Thuis, in Het Landhuis, dus. Supercool! Niemand in Oersaai werd thuis onderwezen.

'Zeventien?' herhaalde Ruby, nog steeds dapper bezig alles uit die breekbare botten te trekken wat ze kon.

'Ja, zeventien … Gedraagt zich als honderd.'

'O ja, dat ken ik,' zei Ruby. 'Mijn dochter is net dertien geworden en denkt nu al dat ze alles weet.'

'Hij gedraagt zich alsof hij al eerder geleefd heeft, als u begrijpt wat ik bedoel, met al zijn grote ideeën over de mensheid en de wereld.' De Engerd lachte zo enthousiast dat hij bijna stikte in een hoestbui.

'Kan ik nog iets voor u doen?'

'Een kaart van de stad zou fijn zijn,' antwoordde hij.

'Onze stad?' lachte Ruby verbaasd. 'Ik weet niet eens zeker of we er wel één hebben.'

Ze keek even naar Janice, die schudde ontkennend haar hoofd.

'Je hebt wel een stadsplein en natuurlijk de korenvelden,' zei Ruby, ondertussen druk haar bureau doorzoekend. 'Weet u zeker dat u niet iets exotischer zoekt?' En ze gaf hem de kaart van Griekenland.

'Dit is het meest opwindende wat een man van mijn leeftijd nog aankan,' grinnikte de Engerd. 'Het plein brengt herinneringen boven aan mijn geboortedorp in Europa. Het is eeuwen geleden dat ik daar geweest ben.'

'Eeuwen?' Ruby werd nieuwsgierig. 'Dan verbergt u uw leeftijd uitstekend,' zei ze plagend.

Als er iemand bestond die inlichtingen over de levende doden kon krijgen, dan was het Ruby wel. Ze flirtte met de ergsten van hen.

Engerds gezicht verkleurde van droge witte wijn naar een helder bourgondisch rood.

'U bent heel vriendelijk,' zei hij terwijl hij zijn voorhoofd depte met een rode zijden zakdoek. 'Hartelijk dank voor uw tijd,' en hij maakte zich klaar om te vertrekken. 'Het was me heel aangenaam en u was ook erg aangenaam.' Hij nam Ruby's hand in zijn knokige vingers en lachte kakelend.

Ineens draaide hij zijn hoofd mijn kant op en hij keek me recht in de ogen. Alsof hij me eerder gezien had. En ik voelde zijn ijzige blik nog, toen ik me al omgedraaid had en de zesendertig kopieën, die ik van mijn hand gemaakt had, bijeenraapte.

Pas toen ik de deur hoorde dichtslaan, durfde ik weer om te kijken. Ik gluurde door het etalageraam waar hij langsliep ... en hij staarde terug, dwars door me heen. Een koude rilling trok door mijn hele lijf. Gruwelijk heerlijk! Heerlijk gruwelijk!

De rest van de dag trok als in een roes aan me voorbij. Ik had niet eens in de gaten dat het al na zessen was. Ruby moest het me zeggen. 'Jeetje, straks moeten we je nog overuren gaan betalen!' lachte ze.

Ruby was mijn totale tegenpool in haar wit op wit, haar lange witte laarzen en nauwe witte stretchjurkje of keurig witte mantelpakje en schoenen met hoge naaldhakken. Wit natuurlijk. Haar lichtblonde haar was vrij kort geknipt. Ze niesde alleen in een witte tissue. Alleen Ruby presteerde het om haar kleding te laten kleuren bij Kleenex. Ze had zelfs een witte poedel, die ze zo nu en dan meenam naar het reisbureau. En altijd was er wel een minnaar die haar op haar werk op kwam zoeken. Ze wisten allemaal dat Ruby 'top' was!

Ik liep naar Ruby's balie, die vol lag met witte kristallen, witte sierengeltjes en foto's van haar dertien jaar oude dochter, in witte lijstjes.

'Ruby,' vroeg ik, terwijl ze frunnikte aan haar witte handtas.

'Ja, liefje?'

'Ik vroeg me gewoon af ...' zei ik, worstelend met de sluiting van mijn zwarte handtas. 'Weet je ...'

'Wat is er aan de hand, liefje? Kom, ga zitten.' Ze reikte naar Janices stoel en rolde die naast die van haar.

'Weet je ... over vandaag? Ik weet dat het idioot klinkt, maar geloof jij ... eh ... geloof jij in vampiers?'

'Geloof ik in *wat*?' Ruby schoot in de lach, friemelde aan haar witte kristallen kettinkje. 'Ik geloof in een heleboel dingen, schatje.'

'Maar geloof je ook in vampiers?'

'Nee!'

'O …' Ik probeerde mijn teleurstelling te verbergen.

'Maar weet ik veel?' giechelde ze. 'Mijn zus Kate zweert bij hoog en bij laag dat ze de geest van een oude boer in het korenveld heeft gezien, toen we nog kinderen waren. En ik had ooit een afspraakje met een jongen die een zilveren voorwerp recht omhoog zag stijgen. En mijn beste vriendin Evelyn houdt vol dat numerologie haar aan haar man geholpen heeft. En mijn chiropracticus geneest mensen door magneten op hun gewrichten te leggen. Ik bedoel maar. Wat fantasie voor de een is, is voor een ander werkelijkheid.'

Ik hing weer aan haar lippen.

'Dus geloof ik in vampiers?' vervolgde ze. 'Nee. Maar ik geloofde ook niet dat Rock Hudson een homo was. Dus weet ik veel?' lachte ze vrolijk.

Lachend liep ik naar de deur.

'Raven?'

'Ja?'

'Wat geloof *jij* dan?'

'Ik geloof in … onderzoek!'

Onderzoek

'Ik doe een onderzoek!' riep ik naar Becky, die op de schommel in het Evanspark zat te wachten. We hadden om zeven uur afgesproken. 'Je gelooft nooit wat er gebeurd is!'

'Je hebt weer een onderbroekje van Trevor?'

'Trevor? Wie is dat? Nee, dit gaat ver boven zijn begripsvermogen. Dit overstijgt de Oersaaise grenzen. Dit is absoluut gruwelijk!'

'Wat?'

'Ik heb alle roddels over Het Landhuis!'

'O, de vampiers?'

'Weet je dat al?' vroeg ik verbaasd.

'Het gonst door de hele stad. De ene keer ligt het aan hun kleding. De andere keer zijn ze krankjorum. Meneer Mitchell vertelde mijn vader dat ze wel vampiers moeten zijn, omdat ze bij Georgio's hebben gegeten zonder knoflook te gebruiken.'

'Ja, maar dat zeggen de Mitchells. Desalniettemin kan ik dat ook opnemen in mijn rapport. Elk stukje info is belangrijk!'

'Hebben we daarom hier afgesproken?' vroeg Becky.

'Becky, geloof jij in … vampiers?'

'Nee!'

'Nee?'

'Nee!'

'En dat is het dan? Je wilt er niet eens over nadenken?' vroeg ik.

'Dit had je me ook over de telefoon kunnen vragen. Nu ben ik eerder van huis gegaan, terwijl ik zou helpen met de ham en de kaas van de macaronischotel!'

'Dit is van levensbelang!' zei ik.

'Ben je nou helemaal gek? *Wil* je soms dat ik in vampiers geloof?'

'Nou …'

'Raven, geloof *jij* in vampiers?'

'Nee,' antwoordde ik. 'Nee, ik geloof niet in vampiers, maar jarenlang wilde ik dat wel. Maar wie weet? Ik geloofde ook niet dat Rock Hudson een homo was.'

'Rock Hudson? Wie is Rock Hudson?'

Vertwijfeld keek ik omhoog. 'Laat maar zitten. Ik wilde je vragen om me met mijn onderzoek te helpen. Weet je, de antwoorden vind je niet in de roddels, maar in de waarheid. En de waarheid vind je in Het Landhuis. Volgende maand gaan meneer en mevrouw Sterling een maand naar Roemenië. En iedere zaterdagavond gaat butler Engerd een uur lang boodschappen doen bij Wexleys. Ik ben langs Het Landhuis gereden en ze hebben geen beveiligingssysteem. Als ik het goed begrepen heb, blijft die gothic jongen de hele avond op zijn kamer naar rammende gitaren luisteren. Hij zal me niet horen.'

'Hoezo, hij zal je niet horen? Wat zal hij niet horen?'

'Hoe ik de waarheid vind.'

'Dit klinkt weer zo ongelooflijk wereldvreemd, Raven!'

'Dank je,' zei ik.

'Dus als ik het goed begrijp,' begon Becky, 'moet ik thuis bij de telefoon wachten, zodat jij mij kunt bellen als je veilig terug bent, en vervolgens deel je alle details met mij?'

Ik staarde haar doordringend aan.

'Nee, Becky, ik heb je nodig om op de uitkijk te staan.'

'Je weet toch dat dit niet mag, hè?' zei Becky. 'Dit is gewoon een misdaad. Inbreken mag niet, Raven!'

'Nou ja, als ik een open raam vind, dan breek ik niet in. Dat is hooguit binnensluipen! En als alles volgens plan gaat, merkt niemand er iets van en ben ik dus nergens binnengeslopen!'

'Ik geloof niet …' begon Becky.

'Je gelooft wel!'

'Ik durf het niet.'

'Je durft het wel.'

'Ik wil het niet!'

'Je moet!'

De conversatie stokte. 'Je moet!' zei ik nog een keer. Ik haatte het om zo bazig te zijn, maar ze moest me helpen. Ik sprong van de schommel af. 'Ik zal niets stelen. Je bent nergens medeplichtig aan. Maar als ik iets groots vind, iets reusachtigs, spectaculairs, iets helemaal onwerelds te gek, dan delen we *samen* de Nobelprijs.'

'Dan hebben we nog een maand de tijd, hè?' stelde Becky vast.

'Ja, en dat geeft mij ruimte genoeg om nog meer info te vergaren en rond te snuffelen op het terrein van Het Landhuis. En jij hebt dan tijd genoeg om ...'

'Excuses te verzinnen?'

Ik lachte. 'Nee, om je macaroni met kaas en ham te maken.'

Verloren tijd

De laatste dag van mijn parttimebaantje zat erop. Het voelde alsof ik geslaagd was voor mijn eindexamen. Na aftrek van belastingen had ik precies genoeg verdiend. Genoeg voor pap om een spiksplinternieuw tennisracket te kopen *en* een lading gele tennisballen!

Ik voelde een zweempje melancholie toen ik mijn rode truitje oppakte en Armstrong Reisbureau wilde verlaten met de cheque veilig opgeborgen in mijn tas. Ruby omhelsde me echt, niet als Janice, die de lucht naast mijn wangen kuste.

De Big Ben, de Eiffeltoren, de zonovergoten Hawaïaanse stranden. Ik liet ze zwaaiend achter me.

'Je kunt binnenlopen wanneer je wilt!' zei Ruby. 'Ik zal je echt missen. Je bent er één uit duizend, Raven.'

'Jij ook!'

Dat was ze echt. En het was fijn om eindelijk iemand gevonden te hebben in Oersaai die anders was dan de modale Oersaaiburger.

'Er komt een dag dat je een jongen uit duizend tegen het lijf loopt, die alleen voor jou bestemd is!'

'Bedankt, Ruby.'

Niemand had ooit eerder zoiets aardigs en liefs tegen me gezegd.

Op dat moment kwam Kyle Garrison, de plaatselijke golfprofessional, naar binnen om met Ruby te flirten. Zij had een heleboel jongens uit duizend. Maar ze verdiende het. Ruby was top!

De cheque legde ik op mijn nachtkastje. Ik kroop heerlijk onder de dekens, blij als ik was verlost te zijn van mijn gevangenisstraf en blij dat ik morgen de cheque kon verzilveren en mijn vader kon terugbetalen. Maar natuurlijk kon ik niet slapen. De hele nacht hield ik me bezig met mijn jongen uit duizend. Hoe zou die eruitzien? Ik hoopte wel dat hij niet zulke geruite broeken zou dragen als Kyle, de golfprofessional.

Een gedachte aan de jongen in Het Landhuis schoot door mijn hoofd. Ik vroeg me af of ik mijn jongen uit duizend al gevonden had.

'Waar heb jij zo'n plezier om?' vroeg Trevor de volgende dag na de lunch. Ik kon er niets aan doen. Ik moest gewoon lachen, zelfs naar Trevor. Ik was zo gelukkig!

'Ik ben weer werkloos,' zei ik stralend.

'Echt? Gefeliciteerd. Maar ik ben ondertussen wel gewend aan jou in je schattige secretaressepakje. Wil je het niet alleen voor mij dragen?' zei hij, slijmerig naar me toe buigend.

'Vlieg op, Trevor!' riep ik en ik duwde hem weg. 'Jij gaat vandaag niet mijn dag verpesten!'

'Ik zal je dag niet verpesten,' zei hij. 'Ik ben trots op je.' Zijn prachtige, sexy lach schalde door de gang, maar de ondertoon was boosaardig. 'Nu heb je zeker wel genoeg geld verdiend om mij mee uit te nemen? Ik hou van horrorfilms.'

'Die zijn te spannend voor kleine kinderen,' zei ik. 'Over een paar jaar mag je een keertje mee.'

Grinnikend liep ik door. Deze keer hield hij me niet tegen. Hij zou mijn dag echt niet verpesten.

Eindelijk was het laatste lesuur voorbij. Ik haastte me naar mijn kastje, waar Becky op mij zou wachten. We hadden afgesproken samen ergens ijs te gaan eten en het Landhuisproject door te nemen. Rondom mijn kastje stond een grote groep scholieren. Becky probeerde me mee te trekken, maar ik duwde haar opzij en baande me een weg door die nieuwsgierige leerlingen.

Toen ik dichterbij kwam, maakten ze plaats voor me. Ik zag mijn kastje en mijn adrenaline schoot omhoog. Aan een touw, dat met brede grijze tape aan mijn kastje bevestigd was, hing mijn vaders racket! En op een briefje ernaast stond: *Game, set en match! Ik win!*

Mijn hoofd tolde rond als dat hoofd in *The Exorcist*, zo voelde het tenminste. Al die tijd had Trevor Mitchell het tennisracket gehad! Op een of andere manier was hij eraan gekomen, die dag dat de Engerd op school was geweest.

Ik beefde van woede. Al die telefoontjes, boze klanten, saaie faxen, de vieze smaak van enveloppen! En maar lachen tegen al die mensen, van wie ik wist dat ze uit Oersaai vertrokken als ik ze vriendelijk hun tickets naar de vrijheid overhandigde. Alles voor zo'n dom racket, dat de hele tijd thuis bij Trevor lag te wachten om op dit lullige moment weer op te duiken.

Ik slaakte een oerkreet die van muur tot muur kaatste door de gangen. Nu speelde ik de hoofdrol in echte horror!

Leraren renden geschrokken hun lokaal uit om te zien wat er gebeurde.

'Raven, is alles goed met je?' vroeg mevrouw Lenny.

Ik wist niet of iedereen uiteengestoven was of nog stond te staren, het enige wat ik zag, was het wiebelende racket. Ik trilde over mijn hele lijf, mijn bleke gezicht was vast en zeker vuurrood en ik kon nauwelijks ademhalen, laat staan praten.

'Wat is er gebeurd!' riep meneer Burns.

'Stik je? Heb je een astma-aanval?' vroeg mevrouw Lenny.

'Trevor Mitchell …' siste ik.

'Ja?'

'In elkaar geslagen … in het ziekenhuis!'

'Wat? Hoe?'

'Waar? Wanneer?' riepen de leraren in paniek door elkaar.

Ik ademde heel diep in. 'Ik weet niet hoe … of waar!' Ik draaide me om en keek ze aan. Waarschijnlijk kwam er rook uit mijn oren en mijn neusgaten. Mijn hoofd spatte bijna uit elkaar. 'Maar ik voorspel jullie … heel binnenkort!'

De verbaasde leraren staarden terug.

Ik greep het tennisracket en gaf er zo'n ruk aan, dat de tape losscheurde en een flinke laag groene verf van mijn toch al gehavende kastje trok.

Ik stormde de school uit. Wraaklustig en vooral … bloeddorstig. Voor de school stonden leerlingen te wachten op vrienden of ouders die hen op zouden halen. Trevor was er niet bij, dus liep ik naar de terreinen achter de school.

Daar stond hij, onder aan de heuvel, op het voetbalveld. Te wachten. Op mij. Omringd door het hele voetbalteam!

Trevor had dit alles in elkaar gezet. Vanaf de dag dat de Engerd op school verscheen. Hij had twee maanden gewacht op deze dag. Hij wist dat ik zou komen, dat ik laaiend zou zijn, dat ik hem in elkaar wilde timmeren. En nu kon hij al zijn maten bewijzen dat hij weer koning was, dat hij die 'gothic chick' toch nog te grazen genomen had. Niet bij de boom, maar met een tennisracket. En al zijn maten mochten, nee, *moesten* getuige zijn van zijn overwinning!

Voortgedreven door bloeddorstige razernij stoof ik de heuvel af naar het voetbalveld. Dertien kakkers en de prooi die ik zocht, volgden mij oplettend.

Ik duwde de kakkers opzij en liep recht op Trevor af, met mijn vaders racket in mijn hand, klaar voor mijn eerste moord.

'Ik had hem de hele tijd al,' bekende hij. 'Ik ben die idiote butler achternagegaan. Hij wilde het racket zelf aan je geven, maar ik zei dat ik je vriendje was. Hij was een beetje teleurgesteld. Ja, hij valt voor je, monstertje!'

'Jij, mijn vriendje? Ik kan me niets walgelijkers voorstellen!'

'Voor mij is het veel erger,' ging hij door. 'Jij zou nog uitgaan met een voetballer, maar ik met een monster!'

Ik zwaaide het racket naar achteren, klaar om uit te halen.

'Eigenlijk wilde ik het wel eerder teruggeven, maar je leek zo gelukkig met je werk!'

'Jij zult meer dan één handschoen nodig hebben als ik klaar met jou ben!' zei ik woedend.

Ik haalde uit, en hij sprong naar achteren.

'Ik wist wel dat je op een dag achter me aan zou komen. Dat doen ze allemaal!' verklaarde hij zelfverzekerd.

De verzamelde voetbalmarionetten lachten.

'Maar jij loopt ook achter mij aan, toch, Trevor?'

Hij keek me verrast aan.

'Ja,' vervolgde ik. 'Vertel het je vrienden maar! Nu zijn ze er allemaal. Maar ik denk dat ze het eigenlijk al weten. Vertel ze maar waarom je dit allemaal doet!'

'Waar klets je over, freak?' Trevor was voorbereid op een fysiek gevecht, op een zwaaiend racket, niet op een verhoor!

'Ik heb het over *liefde*!' zei ik, zogenaamd verlegen.

Alle kakkers lachten. Nu had ik een wapen gevonden dat beter was dan een klap met een stinkend duur tennisracket. Een voetbalsnob ervan beschuldigen dat hij zich aangetrokken voelde tot een vampiermeisje was al bijzonder. Maar om dat dweperige, halfzoete woord 'liefde' te gebruiken voor een zestienjarige machosnob in het bijzijn van al zijn machovriendjes, was *de* manier om zijn kaartenhuis ineen te laten storten!

'Je bent geschift!' gromde hij, nog altijd niet begrijpend hoe ik dit ging klaarspelen.

'Je hoeft je niet te schamen, Trevor. Je bent echt een schatje, echt!' zei ik mierzoet. Ik lachte verontschuldigend naar een paar van zijn vriendjes. 'Jaja, Trevor Mitchell is verliefd op mij, jaja, Trevor Mitchell houdt van mij,' zong ik.

Trevor was sprakeloos.

'Jij zit onder de drugs!' probeerde hij.

'Armzalige tegenzet, Trevor!'

Ik keek naar zijn onzeker lachende voetbalsnobjes en toen weer naar hem. 'Het was zo duidelijk wat je voor me voelt, de hele tijd al. Stom dat ik het niet eerder in de gaten had!' Toen verklaarde ik, zo luid ik kon: 'Trevor, het is niet erg, geef het nu maar toe, je bent verliefd op me!'

'Dombo! Alsof ik een foto van *jou* op mijn slaapkamer zou hangen. Je bent lelijker dan een rioolrat!'

Dat 'rioolrat' deed wel even pijn. Maar ik gebruikte de pijn, als olie op vuur, voor de volgende ronde. Want mijn mooiste zetten moesten nog komen.

'Jij bent niet verliefd op een foto, Trevor! Jij lag niet naakt op de grond, in Oakley Woods, voor een foto! Jij doste je niet uit als een vampier om indruk te maken op een foto! En je verborg mijn vaders tennisracket niet om de aandacht van een foto te trekken!'

De voetbaljongens waren onder de indruk van mijn betoog, want ze vielen mij niet aan en verdedigden Trevor ook niet. In plaats daarvan waren ze benieuwd naar Trevors volgende zet.

'Geen van jouw vrienden hier besteedt ook maar een minuutje van de dag aan mij!' ging ik door. 'En weet je waarom niet? Omdat ze niets om me geven. Maar jij wel. Jij bent zo verschrikkelijk gek op me!'

'Je bent niet wijs!' schreeuwde hij. 'Jij bent niets anders dan een volgespoten, geflipte chick. En dat is alles wat je ooit zult zijn!'

'Ach,' zei ik medelijdend. 'Je verlangt zo naar me en juist mij zul je nooit krijgen!'

Hij kwam op me af, met alle spieren van zijn lijf gespannen. Gelukkig had ik paps racket bij me. Zo kon ik me verdedigen tegen zijn vuistslagen. Het moet toch een zielig gezicht geweest zijn, zo'n razende jongen die een vampiermeisje te lijf gaat, maar misschien vonden zijn voetbal-

maten het stiekem ook wel leuk dat Trevor zich op deze manier verne-
derde, want opeens trokken zijn vrienden hem naar achteren en stapten
Matt en de doelman voor me, als een onneembare muur.

Op dat moment klonk het fluitje van meneer Harris, voor de trai-
ning.

Er was geen tijd over om Matt te bedanken of om te zeggen: 'Hé,
dit was leuk, moeten we vaker doen.' In een overwinningsroes rende ik
de heuvel op. Dit moest ik Becky vertellen.

Geloofde ik echt dat Trevor verliefd op me was? Nee, dat was nog
onvoorstelbaarder dan het bestaan van vampiers. Maar ik had wel een
gevoelige snaar geraakt, dat was wel duidelijk! Hij had niet schouder-
ophalend en minachtend mijn woorden kunnen negeren. En het be-
langrijkste was dat daardoor de anderen mijn verhaal geloofden!

Eindelijk was ik van hem verlost.

Obsessie

Ineens waren er mensen die Gothic Guy gezien hadden! 'Hij is echt supercool, maar wel vreemd. Er is daar in dat spookhuis iets heel raars aan de hand!' fluisterde Monica Havers tegen Josie Kendle onder de wiskundeles. 'Laten we het erop houden dat hij *geen* Tommy Hilfiger draagt.'

'Kwam hij echt uit zijn kerker?'

'Ja, en Trevor Mitchell heeft hem van het kerkhof af zien komen, midden in de nacht, met het bloed druipend langs zijn kin. En toen Trevor iets dichterbij probeerde te komen, verdween hij in het niets!'

'Echt waar? Hé, zie je Trevor weer, tegenwoordig?'

'Nee, geen denken aan! Iedereen weet dat hij verliefd is op dat vampiermeisje. Maar luister … Zelf zag ik die spookjongen afgelopen vrijdag in de bioscoop. Alleen. Wie gaat er nu alleen naar de bioscoop?'

'Alleen een eenzame, rare idioot,' zei Josie.

'Precies!'

Ik sloeg mijn ogen op naar de hemel. Verbijsterd over zoveel domheid.

Na schooltijd kocht ik met Becky snoep in de cafetaria. Daar viel mijn oog op een vet gedrukte kop in een roddelblad: IK BEVIEL VAN EEN VAMPIERBABY.

'Nou, dan is het zeker waar!' grapte ik. 'Vampiers bestaan. Ik las het net in de *Krakeel*.'

Becky en ik giechelden als twee kleine meisjes.

Ik draaide me om en daar stond Gothic Guy vlak achter me, kijkend naar het snoep onder de toonbank. Hij droeg een echte Ray Ban-zonnebril, net een spooky rockster, en hij had een pak kaarsen in zijn hand.

'Ben jij niet die jongen …' fluisterde ik ademloos, alsof ik net een beroemdheid herkende.

'Wie is er aan de beurt?' vroeg de bediende. De jongen liep naar de toonbank.

Hij zag me niet eens. Ik volgde hem op de voet, maar werd belemmerd door een roodharige fitness-ster en haar aan de zonnebank verslaafde vriendin, die tijdschriften vol beroemdheden en flessen geïmporteerd water kochten.

Gothic Guy pakte zijn tas en liep naar buiten. Zodra hij de schemer in stapte, schoof hij zijn zonnebril omhoog.

Vanuit hun ooghoeken loerden de twee vrouwen hem na, alsof ze een zombie zagen.

'Wat ik je nog wilde vertellen, Phyllis,' begon de fitness-ster op fluistertoon. 'Ik zag die jongen laatst in Carlson's Boekwinkel. Hij is zo bleek! Heeft zeker nog nooit van de zon gehoord? Hij zou op zijn minst wat van die bruin-zonder-zoncrème kunnen gebruiken. Echt, hij heeft dringend een totale opknapbeurt nodig!'

'Kon je zien wat hij aan het lezen was?' vroeg de onnatuurlijk bruine vriendin.

'O ja,' ging ze fluisterend verder. 'Een boek over het kerkhof van Benson Hill!'

'Dat moet ik meteen aan Nathalie Mitchell vertellen. Ze is er zeker van dat het vampiers zijn!'

'Misschien zien we de Sterlings volgende week in de roddelbladen: *Vampierfamilie speelt honkbal met vleermuizen.*' En ze giechelden net als Becky en ik.

'Opschieten!' zei ik ongeduldig.

Tegen de tijd dat Becky en ik de parkeergarage in stoven, was hij al verdwenen.

Het geroddel ging thuis aan tafel verder.

'John Garver van het gemeentehuis vertelde me dat de Sterlings het huis niet gekocht hebben, maar geërfd,' zei pap.

'Jimmie Fields zei dat hij gehoord had dat ze geen echt voedsel eten, maar alleen insecten en spinnen,' voegde Nerd Boy eraan toe, als een echte nerd.

'Hé, jongens, waar zijn jullie mee bezig?' riep ik. 'Ze zijn gewoon anders, ze overtreden geen enkele wet.'

'Ik geloof ook niet dat ze dat doen, Raven,' gaf mijn moeder toe. 'Maar ze zijn wel erg vreemd. En ze kleden zich bizar!'

Iedereen keek naar mij. Naar mijn zwarte lippenstift, zwarte nagellak, zwart geverfd haar, lange zwarte jurk en zwarte rinkelende plastic armbanden.

'Ja en? Ik kleed me ook bizar. Denken jullie dan dat ik vreemd ben?'

'Ja,' klonk het eensgezind.

Iedereen schoot in de lach, zelfs ik. Maar diep vanbinnen was ik toch verdrietig, want ik wist dat dit niet alleen maar een grapje was. En ik wist zeker dat zij ook verdrietig waren, om dezelfde reden.

De zon was uit de hemel gevallen en de maan scheen lachend op Becky en mij. Ik was klaar voor Het Landhuis en droeg zelfs camouflagekleding. Een zwarte spijkerbroek, een kleine zwarte rugzak met een zaklamp en een wegwerpcamera, en mijn lippenstift was mat in plaats van glossy. De Mercedes stond er niet. Als de Engerd net zo langzaam met een boodschappenwagentje reed als met een auto, zou het nog uren duren voor hij terug was!

Het roestige ijzeren hek torende hoog boven me uit. De antwoorden op alle geruchten lagen aan de andere kant. Vlug eroverheen klimmen en het onderzoek kon beginnen! Helaas, het avontuur werd nog even uitgesteld: Becky durfde niet te klimmen.

'Je hebt nooit gezegd dat ik over het hek moest klimmen! Ik heb hoogtevrees!'

'Alsjeblieft … schiet nou toch op! De klok tikt!'

Becky keek op tegen het onschuldige oude hek alsof het de Mount Everest was. 'Ik kan het niet. Het is veel te hoog!'

'Je kunt het wel!' probeerde ik haar te overtuigen. 'Hier.' Ik maakte van mijn handen een opstapje voor haar. 'Ga staan en ik duw je een eindje omhoog.'

'Ik wil je geen pijn doen.'

'Dat doe je niet. Kom op!'

'Weet je het zeker?'

'Becky, ik heb maanden op deze dag gewacht, als jij het gaat bederven omdat je niet op mijn handen durft te staan, dan vermoord ik je!'

Ze stapte op mijn handen, ik kreunde en het volgende moment hing ze aan het hek, vastgeplakt tegen de spijlen als een doodsbange Spiderwoman.

'Je kunt niet blijven hangen, je moet klimmen! Trek jezelf omhoog!'

Ze probeerde het, echt waar, ze probeerde het. Elke spier in haar lijf spande zich. Ze was niet zwaar, maar ze was ook niet sterk.

'Stel je voor dat je de gevangenis in gaat als je er niet overheen komt.'

'Ik probeer het!'

'Hup, Becky, hup!' moedigde ik haar aan.

'Het lukt niet! Ik ben bang!'

'Niet naar beneden kijken,' riep ik.

'Ik durf me niet te bewegen!'

'Je moet, Becky!' Nu raakte ik zelf in paniek. Ze kon het bederven. Er kon een politiewagen langskomen, of een nieuwsgierige buurman, of Gothic Guy zelf kon van zijn zolderkamer af komen om te kijken wat er nog harder blèrde dan zijn cd van The Cure.

'Ik kom eraan,' zei ik. Ik trok mezelf omhoog, klom langs Becky heen en wipte over de top.

'Nu jij!' fluisterde ik, terwijl ik aan de andere kant hing.

Geen reactie. Ze had haar ogen stijf dichtgeknepen. Hoe kon ze me dit aandoen?

'Ik … ik denk dat ik een paniekaanval krijg.'

'Geweldig!' zei ik. 'Je kunt het dus niet! Misschien had ik beter Nerd Boy kunnen meenemen!'

Maar wat ik ook zei, het had allemaal geen zin. Becky liet zich niet ompraten en niet opjutten. Ze hing alleen maar.

'Ik durf niet!'

'Oké, oké! Laat je naar beneden glijden!'

Allebei lieten we ons langs het hek naar beneden glijden. Ieder aan een kant. IJzeren spijlen tussen ons, maar niet tussen onze vriendschap.

'Hopelijk heb ik niet alles verpest!' zei Becky.

'Hé, joh, je hebt me toch in ieder geval hierheen gereden!'

Ze lachte dankbaar. 'Ik hou hier wel een oogje in het zeil.'

'Nee, ga maar naar huis. Veronderstel dat iemand je ziet.'

'Weet je het zeker?'

'Het was gezellig om even met je aan het hek te hangen,' grinnikte ik. 'Maar nu moet ik verder!'

'Ik hoop dat je vindt wat je zoekt.'

Even later startte ze de pick-up en reed naar haar veilige schotsgeruite bankje voor de tv.

Ik keek haar na, slaakte een diepe zucht en vervolgde mijn weg. Eén detective minder. Ik was nu helemaal in mijn eentje het ROB, het Raven Onderzoeksbureau. Ik moest een eind maken aan alle geruchten. En als de geruchten waar bleken, dan moest de wereld daarvan op de hoogte gebracht worden.

Alleen vanuit de zolderkamer viel zacht licht door de gordijnen. Toen ik op mijn tenen om het huis heen sloop, hoorde ik vaag het jankende geluid van een elektrische gitaar. Godzijdank hadden ze geen dieren! Ik bedoel, van die vreselijke waakhonden of irritant snaterende ganzen. Eindelijk vond ik mijn raam. Geen planken, maar wel een nieuwe ruit erin. Ze hadden aan het hele huis niets opgeknapt. Waarom dan uitgerekend dit raampje wel? Shit! Ik snuffelde verder, controleerde de andere ramen. Allemaal dicht. Toen zag ik ineens iets oplichten in het maanlicht. Ik bukte me en vond bij een struikje een stopmes. Interessant. Maar tegenover het struikje zag ik nog iets veel mooiers. Een raampje dat opengehouden werd door een steen. De glazenmaker was hier ook aan het werk geweest, had na het herstellen van de ruit het houtwerk keurig bijgeschilderd en de verf was nog niet droog. Daarom had hij het raampje open laten staan. Bedankt, glazenmaker, prima werk!

Deze keer was de opening wel bijna te nauw voor me. Ik had sinds mijn twaalfde te veel Snickers gegeten!

Ik propte mezelf in de opening en duwde en perste en zuchtte en gromde. Ik was erdoor! Binnen! Ik stak een overwinningsvuist in de lucht. Binnen in die heerlijke schimmelige en stoffige kelder onder Het Landhuis.

Mijn zaklamp leidde me tussen kisten en met kleden bedekte meubels door. Tegen de muur zag ik rechthoekige voorwerpen staan met lakens eroverheen. Schilderijen? Mijn huid tintelde van spanning toen ik een van de lakens voorzichtig opzij trok. Mijn mond viel open. Een gezicht met twee wijd opengesperde ogen staarde me aan. Een spiegel!

Mijn hart sloeg op hol! Een afgedekte spiegel? Ik trok de andere lakens weg. Allemaal spiegels. Vergulde lijsten, twee rechthoekige spiegels en een ovale. Dit kon niet waar zijn! Vampiers! Alleen vampiers bedekken hun spiegels!

Ik zette mijn zoektocht in de kelder voort. Ik ontdekte Chinees porselein, kristallen glazen. En ook een doos met een etiket: *Alexanders tekeningen*. Er zaten tekeningen in van een huis dat leek op het huis waarin ik nu rondsloop, tekeningen van Spiderman, Batman en Superman en … een krijttekening van de grote drie: Frankenstein, de Weerwolf en Graaf Dracula!

Ik stopte de laatste tekening al in mijn rugzak, maar toen dacht ik aan mijn belofte aan Becky om niks te stelen. Oké, dan maar een foto.

Ik vond een stoffige perkamentrol met daarop een langzaam vervagende familieboom. Ze hadden lange, onuitspreekbare namen. Het waren gravinnen en baronnen tot diep in de middeleeuwen. En onderaan op de bodem Alexander. Maar geen geboortedata … en geen sterfdata!

Uiteindelijk vond ik nog drie kisten met het opschrift AARDE, gestempeld door de Roemeense douane.

Terwijl ik op weg was naar de keldertrap, stootte ik tegen iets aan. Er lag een wit kleed overheen. Ah! Hier was ik naar op zoek! Dit moest een doodskist zijn. Het had de juiste afmetingen en toen ik er met mijn knokkels op klopte, hoorde ik een houtklank. Ik was net zo bang als opgewonden. Ik sloot mijn ogen, trok het kleed weg, haalde diep adem en keek. Shit! Een tafel! Een stomme rechthoekige eettafel. Nadat ik het stoffige kleed had teruggelegd, liep ik de krakende trap op. Boven duwde ik de glazen deurknop omlaag. Vergeet het maar. Ik duwde iets harder. En toen met volle kracht. De deur schoot plotseling open en ik tuimelde de gang in.

Toen ik weer op mijn trillende benen stond en om me heen keek, zag ik eerst de portretten van een man en een vrouw met zilvergrijze haren. Verderop in de gang hingen nog veel meer schilderijen. Van Picasso, Van Gogh, Kandinsky? Als ik op school had opgelet, had ik het nu geweten. De gang leek wel een museum. Behalve dan de kaarsen. In een museum had ik nog nooit kaarslicht gezien.

Op mijn tenen liep ik naar de huiskamer. Art deco. Stijlvol! Enorme rode fluwelen gordijnen hingen voor de ramen. De ramen waar ik ooit met een honkbalpet uit gezwaaid had. Door het plafond dreunde Jimi Hendrix.

Ik keek op mijn horloge. Al halfnegen! Tijd om te vertrekken. Onder aan de trap, in de grote hal, bleef ik staan. Ik kon niet naar boven. Of wel? Nee, te riskant! Maar ik wilde alles zien! Zo'n kans kreeg ik nooit meer!

De eerste kamer die ik boven in sloop, was een studiekamer. Langs alle wanden boeken. Ze hadden hun eigen bibliotheek! Maar gelukkig geen bibliothecaris. 'Sorry, maar ik wou even wat nalezen in *Schuld en boete*!' Ik geloof niet dat de Engerd dat op prijs zou stellen. Vlug gluurde ik in de andere kamers. Ik had nog nooit zoveel badkamers op één verdieping gezien! Zelfs een voetbalstadion had er niet zoveel. In de grootste slaapkamer stond een hemelbed met zwarte kanten gordijnen, die zacht glooiend om het bed heen vielen. Er stond een klein kaptafeltje, maar … zonder spiegel! Kammen, borstels, nagellak. Zwarte, grijze en bruine oogschaduw! Ik wilde net in een kast kijken toen het stil werd. De gitarist boven mij was gestopt. Voetstappen. Ik vloog de kamer uit, de gang op, de trap af.

Ik keek niet om, lette alleen op dat ik niet wegglee of struikelde of viel, zoals die domme meiden in de *Friday the 13th*-films. Beneden frunnikte ik aan de voordeursloten, mijn vingers trilden van angst, wel net zoals die *Friday the 13th*-meiden. Ik maakte te veel herrie! En toen ik het bovenste slot probeerde te openen, zag ik dat het onderste slot aan de andere kant opengedraaid werd!

O lieve God, help me! Ik rende terug naar de grote hal, maar juist vanuit die richting hoorde ik voetstappen naderen, dus draaide ik me om en schoot de huiskamer in. Geen tijd om een raam te openen, dus ik verborg me achter een rood fluwelen gordijn.

'Ik ben terug!' hoorde ik de Engerd roepen met zijn vette Roemeense accent. 'De boodschappen worden morgen bezorgd. Ik ga nu rusten.'

Geen reactie.

'Als ze drie zijn, kletsen ze je de oren van het hoofd en als ze zeventien zijn, spelen ze stommetje!' mompelde de Engerd in zichzelf toen hij langs de huiskamer liep.

'En altijd de deuren open laten staan,' hoorde ik hem mopperen. Een deur werd dichtgetrokken. Zeker de kelderdeur. Toen hoorde ik de Engerd de trap op lopen.

Toen het stil was geworden in huis, kwam ik achter het gordijn vandaan. Ik sloop de kamer uit naar de voordeur en in een mum van tijd had ik alle sloten ontgrendeld. Ik had de deur al geopend en stond op het punt weg te rennen, toen ik iets voelde wat ik nooit eerder zo gevoeld had: een aanwezigheid. Met ingehouden adem draaide ik me langzaam om. En het bloed stolde in mijn aderen.

Daar was hij. Niet de Engerd, niet meneer of mevrouw Sterling. Maar hij: Gothic Guy. Onbeweeglijk stond hij daar, alsof hij zijn ongenode gast in zich opzoog.

Hij stak zijn hand naar me uit, natuurlijk om te zeggen dat ik niet bang voor hem hoefde te zijn, en ik zag het mooiste sieraad dat ik ooit gezien had: de spinring! De spinring die ik de Engerd gegeven had met Halloween!

Hierop had ik mijn hele leven gewacht. Op dit moment. Om iemand te zien, te ontmoeten, die anders was dan alle anderen, dus net zoals ik. Maar plotseling drong de realiteit tot me door. Ik was betrapt!

Dwars over het grasveld, naar het grote smeedijzeren hek. Ik sprong, trok en hees me in een oogwenk boven op het hek. En toen ik mijn zware kistjes eroverheen sloeg, keek ik om. In de verte zag ik hem in de deuropening staan. Hij keek naar me. Ik aarzelde, zijn blik trok me ... Nog even staarde ik naar hem, toen liet ik me aan de andere kant van het hek vallen en verdween in de nacht.

Nou, ik had gevonden wat ik zocht!

Spannend vervolg

Nadat ik Becky had gebeld en op de hoogte gebracht van alle griezelige en spannende details, kon ik weer eens niet slapen. Alleen deze keer niet omdat het nacht was, maar vanwege hem! De jongen met de diepste, donkerste en mooiste ogen die ik ooit gezien had. Mijn hart tintelde, mijn hoofd tintelde, mijn lijf tintelde. Hij was prachtig! Zijn haar, zijn gezicht, zijn lippen, zijn kistjes. Maar wat me tot in het diepst van mijn hart geraakt had en wat me kippenvel en koorts bezorgde, was zijn uitgestoken hand met mijn ring!

Waarom ging hij niet naar school? Was hij ziek? Waarom belde hij de politie niet toen hij mij zag? Waarom droeg hij mijn ring? Was hij een echte vampier? Wanneer zou ik hem weerzien? Ik miste hem nu al.

De volgende ochtend schommelde ik hoog, hoog door de lucht, terwijl ik op Becky wachtte in het Evanspark. Het duizelde nog steeds in mijn hoofd van de ontmoeting van afgelopen nacht. Toen ze er eindelijk aan kwam, sprong ik van de schommel en vertelde haar het hele ongelooflijke, spannende verhaal opnieuw.

'Hij had je wel kunnen vermoorden!'

'Ben je gek? Hij was geweldig! Ik heb eeuwen gewacht op iemand die nog niet half zo cool is als hij.'

'En? Geloof je dan nu eindelijk de geruchten?' vroeg Becky.

'Tja, ik weet dat het idioot klinkt, maar er zijn zoveel aanwijzingen. De tekening van Dracula en zijn soortgenoten, de bedekte spiegels. En hij gaat niet naar school!'

'Een moeder met een knoflookallergie, de Engerd, het spookhuis Het Landhuis,' vulde Becky aan.

Eerst waren het gewoon interessante roddels, maar nu er ook veel van die roddels bleken te kloppen, werd ik nog nieuwsgieriger.

'En dan al dat kaarslicht! Zo waanzinnig en zo duister!'

'Misschien iets voor de kranten en de tv?' schertste Becky.

'Nog niet. Ik heb meer bewijzen nodig. Echte, keiharde bewijzen.'

'Betekent dat dat ik nog een keer over dat hek moet klimmen?'

Ik begon te zweven, terwijl ik dacht aan Anne Rice en Bram Stoker en Bela Legosi, *The Hunger*, zelfs Leslie Nielson in *Dracula ... Dead and Loving It* en al die Nosferatu's die de wereld ooit onveilig hadden gemaakt met hun verleidelijke lach en hun glanzende, glad achterovergekamde haar.

'Nee,' beantwoordde ik Becky's vraag.

Ze slaakte een zucht van opluchting.

'Er is maar één manier om het te bewijzen, nietwaar? Dan kunnen we eindelijk tegen al die vervelende roddelaars zeggen dat ze niet meer hoeven te roddelen. Dan kunnen deze gothic engelen in vrede slapen, of ze nu 's nachts of overdag naar bed gaan!' lachte ik.

'O ja? Wat ga je dan doen? Wachten tot hij in een vleermuis verandert?'

'Nee, Becky. Kijken of *ik* in een vleermuis verander, natuurlijk!'

'Nou, je zult niet in een vleermuis veranderen door alleen naar hem te kijken,' zei Becky.

'Precies, daar komt meer bij kijken! Er is maar één manier om erachter te komen of hij echt een vampier is.'

'Dat meen je toch niet, Raven!'

'Jawel. Kussen!' riep ik opgewonden. 'Daarna kan iedereen de Sterlings met rust laten en hoeft er niet meer over hen gekletst te worden!'

'Maar als hij er nou echt een is? Dan word jij ook een vampier! En wat dan?'

'Dan ga ik naar CNN!' lachte ik.

Terwijl ik naar huis slenterde, dromend over mijn Prins der Duisternis, zag ik in een flits een zwarte Mercedes mijn straat in draaien. *De zwarte Mercedes?*

Ik zette een eindsprint in, zo hard ik kon, maar kistjes zijn niet opgewassen tegen draaiende wielen en gemotoriseerd verkeer. Zelfs niet met een tragerik als de Engerd achter het stuur.

Thuis werd ik begroet door een vals lachende Nerd Boy.

'Ik heb iets voor je!' jende hij.

'Geen spelletjes,' snauwde ik. 'Ben ik niet voor in de stemming.'

'Het lijkt erop dat de post tegenwoordig ook op zondag bezorgd wordt. En dat de postbeambte niemand minder is dan die enge butler van Het Landhuis!'

'Wat?!' gilde ik.

'Hij heeft een brief voor je afgegeven!' zei Nerd Boy treiterig.

'Geef!'

'Niet voor niets!'

'Ik sla je kop eraf!' schreeuwde ik en ik wilde boven op hem springen.

Maar hij was me te vlug af en zette het op een rennen. Witheet van woede achtervolgde ik hem. 'Ik zal die brief krijgen! Zonder omkoperij! En het is de vraag of jij dat overleeft!'

Gelukkig waren mijn ouders voor de lunch naar een restaurant gegaan. Ze hadden zich rot geschrokken: een honderd jaar oude engerd aan de deur die naar hun dochter vraagt!

Nerd Boy zwaaide met de rode envelop en tergde me tot op het bot. Plotseling rende hij naar boven. Ik greep zijn been. Hebbes! Hij viel, ik trok hem naar me toe, maar de envelop, in de hand van zijn uitgestrekte arm, bleef onbereikbaar.

Ik liet mijn tanden zien, liet hem weten dat ik zijn been eraf zou bijten, iets wat je volgens mij een broertje wel aan kon doen zonder in de cel te belanden. Hij raakte in paniek en schopte met zijn vrije voet zo keihard tegen mijn hand aan, dat ik zijn spillebeen wel los moest laten. Vliegensvlug sprong hij de laatste treden op en zijn kamer in. Hij sloeg de deur voor mijn neus dicht.

Toen ik hoorde dat hij de sleutel omdraaide, ontplofte ik bijna.

Ik sloeg, bonkte, hamerde op de deur. De pijn zou ik pas later voelen, nu was ik razend en moest ik me laten gaan.

'*Lieve Raven,*' hoorde ik Nerd Boy, alsof hij de brief voorlas. '*Ik hou van je en wil graag dat je mijn heksenvrouwtje wordt, dan kunnen we samen lekkere enge butlerbaby's krijgen! Veel liefs en een beet in je nek van de enge butler!*'

'Geef hier!' gilde ik. 'Nu! Onderschat me niet, Nerdje! Als je wilt weten waartoe ik in staat ben, vraag het maar aan het voetbalteam. Ik maak je leven tot een hel!'

'Je krijgt je brief op één voorwaarde!' riep Nerd Boy.

'Hoeveel?'

'Nee, geen geld,' zei hij.

'Wat dan?'

'Je moet me beloven dat …'

'Nou? Schiet op, Nerd Boy!'

'Dat je ophoudt me Nerd Boy te noemen!'

Aan beide kanten van de deur viel een stilte.

Een steek in mijn hart. Schuld? Medelijden? Of alleen maar verbazing? Ik had me nooit gerealiseerd dat mijn onschuldige bijnaampje voor mijn broer hem misschien al die jaren wel pijn had gedaan. Dat ik zijn leven al tot een hel gemaakt had.

'Hoe moet ik je dan noemen?'

'Bij mijn naam misschien?'

'En die is?'

'Billy.'

'Billy? O, nou … best. Jij geeft me de brief, dan zal ik jou een jaar lang … Billy noemen.'

'Niet een jaar lang,' eiste Nerd Boy. 'Altijd!'

'Altijd?'

'Ja, altijd, mijn hele leven. Altijd!'

'Oké … oké, jij je zin. Altijd,' gaf ik toe.

Hij schoof de deur een klein stukje open en stak de brief door de kier. Hij gluurde naar me met die diepbruine, kleine broertjesogen.

'Hier,' zei hij. 'Ik heb hem niet opengemaakt.'

'Bedankt. Maar je had me niet zo achter je aan moeten laten sjouwen. Ik heb een lange dag gehad!'

'Het is anders pas tien uur, hoor!'

'Precies!' De rode envelop lag veilig in mijn handen. 'Hé, bedankt, Nerd Boy!'

Ik kon er echt niets aan doen. Het was een gewoonte. Een gewoonte die ik ook nog erg leuk vond!

'Je had het beloofd!' gilde hij en met een klap sloeg hij de deur dicht.

Opnieuw bonsde ik op de deur en nu voelde ik de pijn van mijn eerste uitval.

'Wat nu weer, heksengriet?' riep hij. 'Hoepel op en ga terug naar je hol!'

Maar de deur was nu niet op slot, dus ik liep zo naar binnen. Het was jaren geleden dat ik bij mijn broertje op de kamer was geweest. Er hingen posters van Michael Jordan en Wayne Gretsky. Op de grond en op zijn bureau, naast zijn computer, lagen ongeveer vijfduizend computerspelletjes. Goh, op zich was die Nerd Boy best wel interessant …

'Bedankt voor de brief,' zei ik.

Hij zat achter zijn computer. Hij negeerde me.

'Billy!' schreeuwde ik. 'Billy, Billy, Billy!'

Met grote, verschrikte ogen keek hij me aan.

'Ik zei: bedankt! Maar ik kan je niet knuffelen, broertje. Dat moeten we bewaren voor tv!'

Ik liet mezelf op bed vallen, lekker op mijn zachte, zwarte, donzen dekbed, en ik staarde naar de rode envelop. Er kon van alles in de brief staan. *Blijf uit ons spookhuis of we dagen je ouders voor de rechtbank!* Bijvoorbeeld.

Maar in ieder geval had ik het dreigement dan nu veilig in handen.

Langzaam scheurde ik de envelop open, voorbereid op het ergste.

Het bleek een uitnodiging!

Alexander Sterling verzoekt Raven Madison op 1 december, om 20.00 uur, met hem te dineren. Bij hem thuis.

Was dit echt? Geen enkele zeventienjarige jongen in dit stadje, in deze provincie, in dit land nodigde een meisje op deze manier uit. Dit kwam recht uit een of andere Emma Thompsonfilm, waar iedereen met zo'n stoffig Engels accent praat en het woord 'liefde' over niemands lippen komt! Dit was victoriaans, ouderwets, niet van deze wereld. Dit was zo gruwelijk, zo gruwelijk romantisch dat elk haartje op mijn lijf recht overeind ging staan!

Ik keek in de envelop, op zoek naar misschien nog een boodschap, maar dit was alles. Geen verzoek om antwoord. Wat een lef! Hij nam gewoon aan dat ik zou komen. Punt uit. En hij had gelijk.

Hier had ik mijn hele leven op gewacht!

Te gast

Ik kon mijn moeder natuurlijk niets vertellen over de geheimzinnige uitnodiging op Het Landhuis. Zij zou zeggen dat ik niet mocht gaan, ik zou zeggen dat ik toch zou gaan, zij zou het mij verbieden en ik zou van huis weglopen. Heel dramatisch allemaal. Dat had geen zin. Ik zou gaan, hoe dan ook. Punt uit.

En toen, op de eerste december aan het ontbijt, liet pap een bommetje vallen.

'Ik neem je moeder vanavond mee naar Las Vegas!' zei hij. 'Dit is een spontane inval. Vanmiddag moeten we in het vliegtuig zitten.'

'Ja, romantisch, hè?' bevestigde mijn moeder, terwijl ze haar koffer uit de gangkast pakte. 'Zoiets heeft je vader nog nooit op onze huwelijksdag gedaan.'

'En dat betekent, Raven, dat jij vandaag de verantwoordelijkheid draagt in dit huis en op Billy past,' zei pap.

'Wat?!' riep ik geschrokken. 'Op Billy passen? Maar hij is elf!'

Ik liep achter mijn ouders aan hun slaapkamer in.

'Als er problemen zijn, is dit het nummer waarop we te bereiken zijn,' zei mijn vader, en hij overhandigde me een vodje papier. 'Je hebt bij het reisbureau bewezen dat je verantwoordelijkheid kunt dragen, Raven. We hebben alle vertrouwen in je. Morgenavond tegen etenstijd zijn we terug.'

'Maar ik heb zelf plannen!' protesteerde ik nog.

'Nodig Becky vanavond maar hier uit,' ging pap onverstoorbaar verder, terwijl hij zijn toilettas in zijn reistas propte. 'Jij zit altijd bij haar. Haal maar een dvd die jullie alle drie leuk vinden.'

'Becky? Denk je dat ik geen andere vrienden heb? Alsof ik niks beters te doen heb dan een dvd te kijken!'

'Frank, zal ik deze meenemen?' onderbrak mijn moeder ons. Ze hield een rood jurkje zonder schouderbandjes omhoog.

'Pap, ik ben zestien! Ik wil uit op zaterdagavond!' riep ik wanhopig.

'Dat begrijpen we, Raven,' zei mijn moeder, terwijl ze een paar rode naaldhakschoenen in haar koffer stopte. 'Maar vanavond niet. Je vader heeft me zo enorm verrast. Zoiets heeft hij sinds de middelbare school niet meer gedaan! Dus niet zeuren, schat. Hierna mag je alle zaterdagavonden doen wat je wilt!' Ze kuste me op mijn voorhoofd en duldde geen tegenspraak. Dat was duidelijk.

'Precies om twaalf uur vannacht bel ik,' waarschuwde pap. 'Om zeker te zijn dat Billy en jij hier de boel niet afbreken. En dat het tennisracket nog in de kast ligt,' voegde hij er leukweg aan toe.

'Maak je maar geen zorgen. Ik zal geen wild feest geven en niet gaan tennissen!' riep ik boos uit.

'Dan is het goed, want misschien moet ik het huis als onderpand gebruiken aan de blackjacktafel,' lachte hij.

Hij dook weer in de kast om een colbertje uit te zoeken en ik verdween naar mijn kamer, uit hun gezicht en uit hun afschuwelijke vrolijkheid. In heel hun zeventienjarige huwelijk moest mijn vader uitgerekend deze dag op de kalender prikken om mijn moeder te verrassen! Ik bedoel, ik was ook gek op verrassingen, maar niet als het ten koste ging van mijn verrassingen.

Het was halfacht toen ik Nerd Boy … sorry, Billy Boy op de hoogte bracht. Ik droeg mijn chicste uitgaanskleding: een kort en mouwloos zwart spandexjurkje, met een zwart kanten ondertopje dat door het jurkje heen scheen, zwarte kousen, kistjes en onyxen oorringen.

'Ik ga vanavond uit.'

'Maar je moest op mij passen.' Hij bekeek mijn outfit met de bezorgde blik van een beschermende vader. 'Hé, je hebt een afspraakje!'

'Dat heb ik niet, maar ik ga wel!'

'Dat mag niet! Ik laat je niet gaan! Ik vertel het aan pap!' Normaal zou hij het te gek gevonden hebben om alleen te blijven, de smiecht, maar nu kickte hij op de onverwachte macht die hij over me had.

'Becky komt hierheen om met je op de bank te hangen. Je vindt Becky toch leuk?'

'Ja, maar vindt zij mij ook leuk?'

'Ze vindt je geweldig!'

'Echt?' vroeg hij met elfjarige, verliefderige jongensogen.

'Ik zal het haar vragen als ze komt. Oké? Becky, mijn broertje vindt je leuk, vind jij mijn broertje ook leuk?'

'Nee!' gilde hij. 'Dat doe je niet!'

'Beloof me dan dat je je gedraagt!'

'Ik ga het aan papa en mama vertellen. Je gaat er zomaar vandoor! Er kan van alles gebeuren. Ik kan wel op het internet gaan rondneuzen en een of andere gekke, psychopathische vrouw tegenkomen die met me wil trouwen.'

'Als dat toch eens zou lukken,' zuchtte ik, terwijl ik naar buiten keek of Becky er al aan kwam.

'Je krijgt vreselijke problemen!' dreigde hij.

'Je lijkt wel een klein kind! Laat Becky nu maar al je computerspellen zien. Ze gaat uit haar dak van dat ruimteschipgedoe.'

'Als je gaat, bel ik ze op in Las Vegas.' Hij gaf niet op.

'Niet als dat je leven kost, Billy Boy. Ik bind je vast op die stoel, als dat nodig is!'

'Doe dan,' gilde hij. 'Want ik ga nu bellen.' Hij rende naar de telefoon.

'Billy, alsjeblieft,' smeekte ik. 'Ik moet echt weg. Op een dag zul je wel begrijpen waarom. Billy, alsjeblieft …'

Hij bleef staan met de telefoon in zijn handen. Hij had nog nooit smeekbeden van mij meegemaakt. Alleen dreigementen.

'Nou, goed dan. Maar zorg ervoor dat je om twaalf uur vannacht thuis bent! Ik ga niet doen alsof je net op dat moment onder de dou-che staat.'

Voor de eerste keer in mijn leven omhelsde ik mijn broer. En ik omhelsde hem echt. Een knuffel. Een Ruby's fijnknijpknuffel. Zo eentje die je echt de warmte van de ander laat voelen.

'Waar blijft Becky nou!' riep hij ineens opgewonden. Nu stond hij aan mijn kant. 'Je moet gaan!'

Op dat moment ging de bel en we vlogen de trap af. 'Waar bleef je nou?' vroeg ik.

Met een paar grote zakken popcorn in haar handen slenterde Becky op haar gemak naar binnen. 'Je zei toch acht uur?'

'Ik moet daar zijn om acht uur!' riep ik ongeduldig.

'Echt? En ik dacht nog wel dat ik vroeg was. Neem de pick-up maar,' zei ze terwijl ze me de sleutels gaf.

'Bedankt. Hoe zie ik eruit?' vroeg ik en ik trok alles op zijn plaats.

'Cool!'

'Echt? Bedankt!'

'Als een engel van de nacht!' voegde mijn broer eraan toe.

Ik bekeek mezelf in de spiegel en dacht dat het misschien de laatste keer zou zijn dat ik mijn spiegelbeeld kon aanschouwen.

'Veel plezier vanavond, jullie twee. En let goed op Billy, oké?

'Op wie?' vroeg Becky en ze fronste verbaasd haar wenkbrauwen.

'Op Billy, mijn broer! Hij, hem, daar … Billy.'

Allebei schoten ze in de lach. Ik greep mijn jack en vloog naar buiten. Als een vleermuis.

Op de afbrokkelende stenen muur bij de grote smeedijzeren poort hadden een paar verachtelijke Oersaaianen met een spuitbus GO HOME VAM-PIRE-FREAKS! gespoten. Misschien Trevor wel. Misselijk.

Waarschijnlijk kregen de Sterlings niet veel bezoekers. Er was geen bel bij de poort. Wat werd ik geacht te doen? Wachten? Weer over het hek klimmen? Toen kreeg ik in de gaten dat het hek niet vergrendeld was. Ik kon de klink gewoon omlaagduwen en de poort ging open! Ik liep de grote oprijlaan op en gluurde naar het zolderraam. Vandaag zou ik het raam misschien van binnenuit zien. Hoopte ik.

Wat stond me eigenlijk te wachten vanavond? Ik had geen idee. Wat zouden we eten? Of zou ik het hoofdgerecht zijn?

Beheerst klopte ik met de serpentklopper op de enorme deur, die na slechts een moment wachten langzaam openging. De Engerd begroette me met zijn gerimpelde glimlach.

'Wat fijn dat u kon komen,' zei hij met zijn accent, dat rechtstreeks uit een oeroude zwart-withorrorfilm leek te komen. 'Kan ik uw jas aannemen?'

Hij nam mijn leren jack mee. Waarheen? Een kast? Een slaapkamer? Een verbrandingsoven? Ik haalde diep adem. Wacht even, nu praatte ik mezelf de rillingen aan.

Daar stond ik dan. In de gang. Om me heen kijkend of er werkelijk iets dreigends was. Waar was mijn afspraakje eigenlijk?

'Alexander zal u over een paar minuten gezelschap houden,' zei de Engerd toen hij terugkwam, alsof hij mijn gedachten gelezen had. 'Wilt u misschien liever in de salon wachten tot hij naar beneden komt?'

'Oké,' zei ik en ik liet me naar een enorme kamer naast de woonkamer leiden. De kamer was bescheiden ingericht, met twee victoriaanse stoelen, een chaise longue, een bureau en kasten vol boeken. Het enige dat er niet stoffig uitzag, was een kleine vleugel in de hoek van de salon. De Engerd liet me weer alleen en ik nam de gelegenheid te baat om even rond te neuzen. Behalve in de kasten en op het bureau lagen ook nog overal op de vloer stapels in leer gebonden boeken, in vreemde talen, en naast de piano vergeelde muziekboeken in oude, verkreukelde mappen. En dit was niet eens hun bibliotheek!

Ik streek met mijn hand over het eikenhouten bureau. Stof. Laden. Welke geheimen lagen er verborgen in die laden? Ik probeerde een van de laden open te trekken, maar voelde toen plots weer diezelfde aanwezigheid als de vorige keer dat ik hier op bezoek was. Alexander. Hij stond in de deuropening van de salon.

Geweldig. Ongelooflijk, zo geweldig: glanzend lange haren, een zwart zijden hemd dat ruim over zijn zwarte designjeans viel, zwarte kistjes. Ik was bloednieuwsgierig of hij mijn spinring droeg, maar dat kon ik niet zien, want hij hield zijn handen achter zijn rug. Ook geweldig.

'Het spijt me dat ik zo laat ben, maar ik moest op de babysit wachten,' verontschuldigde ik me.

'Heb je een baby?'

'Nee,' zei ik geschrokken. 'Ik heb een broer!'

'Juist,' zei hij en hij lachte een beetje onhandig. Zijn bleke gezicht kwam meteen tot leven. Hij was veel knapper dan Trevor, maar maakte geen zelfverzekerde indruk. Hij leek meer een gewond vogeltje dat liefdevol vastgehouden moest worden. Alsof hij zijn hele leven in een kerker had doorgebracht en nu voor het eerst een ander menselijk wezen zag. Hij leek wat ongemakkelijk met het gesprek en zocht zorgvuldig naar de juiste woorden, alsof woorden nooit meer teruggenomen kunnen worden als ze eenmaal uitgesproken zijn.

'Het spijt me dat ik jou heb laten wachten,' begon hij. 'Ik wilde eerst deze nog voor je plukken.' Verlegen reikte hij me vijf veldbloemen aan.

Bloemen? Dit was niet waar!

'Voor mij?' Ik was compleet overdonderd. De wereld leek verder te gaan in slow motion. Toen ik de bloemen aannam, raakte ik zacht zijn handen. De spinring. Ja.

'Ik heb nooit eerder bloemen gekregen. Het zijn de mooiste bloemen die ik ooit gezien heb.'

'Je hebt vast al honderd vriendjes gehad,' zei hij, starend naar zijn schoenen. 'Ik kan niet geloven dat die je nooit bloemen hebben gegeven.'

'Toen ik dertien werd, heb ik van mijn oma een bosje tulpen in een gele plastic vaas gekregen,' ontweek ik een rechtstreeks antwoord. Het klonk wel stom, maar het was altijd nog beter dan *Ik heb nooit bloemen gekregen van een vriendje, omdat er nooit een vriendje is geweest.*

'Bloemen van oma's zeggen alles,' zei hij op raadselachtige toon.

'Maar ik heb nog nooit veldbloemen gekregen! Het lijkt wel alsof ik meespeel in een film. Maar waarom vijf?' vroeg ik.

'Eén voor iedere keer dat ik je zag.'

Even keek ik terug in de tijd. 'Dus jij was het, achter het raam, met Halloween?'

'Ja.'

'Ik had niets te maken met die verfsp…'

Plotseling verscheen de Engerd. 'Het diner is klaar. Zal ik deze even in een vaasje zetten, juffrouw?'

'Graag,' zei ik, hoewel ik ze het liefst bij me wilde houden.

Alexander liet me voorgaan, net als in een Cary Grantfilm, alleen wist ik niet welke kant ik op moest.

'Ik dacht dat je de weg nu wel wist,' plaagde hij me. 'Wil je al iets drinken?'

'Ja. Maakt niet uit wat,' voegde ik eraan toe. Ik verslikte me bijna in mijn woorden! Straks gaf hij me van die 'bloedrode' zogenaamde wijn. 'Eh, doe maar water,' haastte ik me te zeggen.

Een ogenblik later kwam Alexander terug met twee kristallen glazen op een voetje. 'Ik hoop dat je honger hebt.'

'Ik heb altijd honger.'

'Ik ook,' zei hij, met een knipoog die me de rillingen bezorgde. En toen ging hij me voor in een door kaarsen verlichte eetkamer die gedomineerd werd door een lange eikenhouten tafel, gedekt met borden van keramiek en zilveren bestek. Hij schoof mijn stoel voor me aan en nam zelf tien kilometer verderop plaats, aan het andere eind van de tafel. De vijf veldbloemen stonden al in een vaasje in het midden van de tafel. Ik werd bijna jaloers op die bloemen, die dichter bij hem waren dan ik …

De Engerd, Jameson dus, reed een serveertafeltje naar binnen met dampende, warme broodjes en een kristallen schaal met een dikke, groenige soep. De traagheid waarmee Jameson ons bediende en de lengte van de tafel garandeerden een eeuwenlang samenzijn! Maar dat vond ik oké! Ik wilde nooit meer op een andere plek in de wereld zijn.

'Dit is Hongaarse goulash,' verduidelijkte Alexander toen ik zenuwachtig in de soep begon te roeren. Ik had geen idee wat dat was. Of wat erin zat. Maar toen Alexander en Jameson op mijn reactie bleken te wachten, begreep ik dat ik het moest proeven.

'Lekker!' riep ik verrast, nadat ik voorzichtig van mijn lepel had genipt en hem vervolgens leegslurpte. Dit was veel lekkerder dan iedere andere soep die ik tot nu toe gegeten had. En honderd keer heter!

Mijn mond en mijn keel vlogen tegelijkertijd in brand en ik klokte snel een glas water naar binnen.

'Ik hoop dat het niet te scherp is,' zei Alexander.

'Scherp?' hijgde ik, met mijn ogen vol tranen en een neus die op het punt van leeglopen stond. 'Je maakt een grapje!'

Alexander gaf Jameson te kennen meer water te halen. Twee eeuwen later kwam Jameson terug met een aarden kruik, gevuld met heerlijk koel water. Eindelijk kon ik weer ademhalen. Ik wist niet wat ik Alexander moest vragen, maar ik wilde wel alles van hem weten. En vooral die dingen die een einde aan al die wilde geruchten konden maken. Ik bedoel, die de geruchten zouden bevestigen.

'Nou, wat doe …' zeiden we tegelijkertijd.

'Jij eerst,' stelde hij voor.

'Goed. Wat doe jij de hele dag?' vroeg ik. Eindelijk, mijn interview.

'Ik wilde jou hetzelfde vragen!' lachte hij.

'Ik ga naar school. En jij?'

'Ik slaap.'

'Je slaapt?' Dit was nieuws! Groot nieuws! Dit was fantastisch! 'Echt waar?' vroeg ik hoopvol.

'Is daar iets mis mee dan?'

'Nou ja, de meeste mensen slapen 's nachts.'

'Ik ben niet *de meeste mensen*.'

'Zeker niet ...' beaamde ik.

'En jij ook niet,' zei hij, me strak aankijkend met die diepdonkere, zachte ogen. 'Dat zag ik meteen toen ik je met Halloween als tennismeisje rond zag lopen. Je bent toch een beetje oud om langs de deuren te gaan voor snoep en je moest wel helemaal anders zijn om te denken dat een tennisjurkje een kostuum was.'

'Hoe ben je achter mijn adres gekomen?' vroeg ik.

'Jameson had het tennisracket aan jou terug moeten geven, maar gaf het aan die blonde voetbalspeler die beweerde dat hij je vriend was. Misschien had ik dat nog geloofd ook als ik niet gezien had hoe jij hem die oplawaai met dat racket verkocht en ervandoor ging zonder hem.'

'Je hebt helemaal gelijk. Hij is absoluut mijn vriend niet. Hij is een totaal nietszeggende lul die bij mij op school zit.'

'Maar gelukkig,' ging Alexander verder, 'vertelde hij Jameson je naam en adres om zijn leugen te bevestigen. Zo wist ik je dus te vinden. Ik had niet gedacht dat ik je nog een keer zou tegenkomen tijdens een van je onderzoeken in ons huis.'

Zijn dromerige ogen staarden dwars door me heen.

'Ja ... weet je ... ik ...'

Ons gelach echode door Het Landhuis.

'Waar zijn je ouders?' vroeg ik, terwijl ik dat wel wist natuurlijk, maar ik hoopte de reden van hun reisje te achterhalen.

'In Roemenië.'

'Roemenië? Zijn ze op vakantie naar Roemenië?'

'Ze zijn voor zaken daar. En er woont daar nog familie van ons.'

'Kwam … Dracula ook niet uit Roemenië?' vroeg ik.

'Ja.'

Ik keek hem recht in de ogen. 'Ken je Dracula? Ik bedoel, ben je verwant aan hem?'

'Hij is nooit op een familiefeestje geweest,' plaagde hij. 'Je bent een grappig meisje. Jij zorgt tenminste voor wat leven hier in Oersaai.'

'Oersaai? Dat meen je niet! Zo noem *ik* dit flutstadje!'

'Hoe zou je het anders kunnen noemen? Het is hier toch oersaai? Voor mensen als jij en ik valt hier toch niets te beleven?' zei Alexander.

Voor mensen als jij en ik. Voor vampiers, bedoel je, wilde ik zeggen.

'Ik had liever in New York of Londen gewoond,' vervolgde hij.

'Ja, ik wed dat daar genoeg te beleven is. En vooral 's nachts,' voegde ik er veelbetekenend aan toe.

Jameson kwam binnen. Hij haalde de goulashsoep van tafel en serveerde biefstuk.

'Ik hoop dat je geen vegetariër bent,' zei Alexander.

Ik bestudeerde mijn eten. De biefstuk was medium rauw, toch meer rauw, het sap stroomde eruit, over de aardappelpuree en op het bord.

Hij was zo mysterieus. En veel grappiger dan ik had durven dromen! Tussen de prachtige bloemen door gluurde ik naar hem. Ik was volledig door hem betoverd.

'Ik weet zeker dat het heerlijk is,' antwoordde ik. Hij keek toe terwijl ik een hap nam. 'Mmm, nog een keer.'

'Luister,' zei hij en hij keek me met droevige ogen aan. 'Vind je het erg dat …'

Hij pakte zijn bord en kwam naar me toe. 'Het enige dat ik zie, zijn de veldbloemen, maar jij bent toch veel mooier.'

Hij zette zijn bord naast mijn bord en trok zijn eikenhouten stoel bij. Ik viel bijna flauw. Hij lachte naar me, drukte zachtjes zijn knie tegen mijn knie. Mijn lijf brandde. Alexander was grappig, adembenemend en verlegen. Heel sexy.

Ik wilde alles van hem weten. Zijn hele leven. Het maakte niet uit hoe oud hij was. Zeventien of zeventienhonderd.

'Wat doe je 's nachts? Waar heb je gewoond? Waarom ga je niet naar school?' ratelde ik mijn nieuwsgierigheid eruit.

'Hoho, kun je dat nog eens rustig herhalen?' lachte hij. Wat een tanden! Wat een prachtige witte tanden!

'Eh ... waar ben je geboren?' vroeg ik.

'In Roemenië.'

'Waar is dan je Roemeense accent?'

'In Roemenië. We vertrokken naar Amerika toen ik vijf was.'

'Ben je ooit naar school geweest?'

'Naar de kleuterschool. Daarna werd ik altijd thuis onderwezen.'

'Wat is je favoriete kleur?'

'Zwart.'

Ik dacht aan juffrouw Haring en vroeg: 'Wat wil je worden als je groot bent?'

Alexander lachte. 'Bedoel je dat ik nog niet groot ben?' vroeg hij.

'Dat is een vraag, geen antwoord,' zei ik koeltjes.

'Wat wil jij worden?' vroeg hij.

Ik keek in zijn prachtige, raadselachtige, donkere ogen en fluisterde: 'Een vampier.'

Hij barstte in lachen uit. Hij schaterlachte. En toen keek hij me plotseling scherp aan. 'Raven, waarom sloop je ons huis binnen?'

Beschaamd sloeg ik mijn ogen neer.

Jameson reed zijn wagentje weer de kamer in. IJs met geflambeerde kersen.

'Tijd voor het dessert,' zei de Engerd.

Precies op tijd!

Alexander nam de schaaltjes met ijs van het wagentje, doofde de kersen en zei tegen Jameson dat we het dessert buiten zouden gebruiken. 'Ik hoop dat je niet bang bent in het donker,' zei hij, terwijl hij met de schaaltjes in zijn handen voor me uit de tuin in liep, in de richting van het bouwvallige tuinhuisje.

'Bang? Ik ben gek op de nacht!'

'Ik ook,' zei hij. 'Dan kun je het heelal zien.'

In het tuinhuisje stak hij een half opgebrande kaars aan, die op een richel stond.

'Neem je al je vriendinnen mee naar deze plek?' vroeg ik, terwijl ik met mijn vinger over de stoffige richel veegde.

'Jazeker!' lachte hij. 'En ik lees ze allemaal voor, bij het kaarslicht.' Hij wees naar een stapel boeken op de grond. 'Zal ik jou ook voorlezen? Wat wil je? *Functies en logaritmen*, *Minderheidsgroeperingen in onze samenleving* of *Het ontstaan van sekten*?'

Ik grinnikte. 'Ik denk dat ik liever nog wat praat.'

'Je hebt gelijk, de maan is zo mooi vanavond,' zei hij, door het raam naar buiten starend.

'Doet me aan weerwolven denken,' zei ik. 'Denk je dat iemand in een dier kan veranderen?'

'Zeker, als hij tenminste in het gezelschap van het juiste meisje is,' plaagde Alexander. In zijn donkere ogen weerspiegelde het licht van de maan. Hij was zo opwindend!

Hij maakte het wel moeilijk voor me. In Oersaai vonden ze hem een freak. Ze hadden er geen idee van hoe prachtig hij eigenlijk was.

'Alexander … er zijn zoveel dingen die ik van je zou willen weten.'

'Net zoveel als ik van jou.'

Ik schoof iets dichter naar hem toe. Het maanlicht streelde zijn gezicht. God, wat was hij mooi! Kus me, Alexander, kus me, nu! dacht ik, terwijl ik mijn ogen sloot.

'Maar we hebben alle tijd van de wereld,' zei hij. 'Laten we eerst maar gewoon genieten van de maan en de sterren.'

Hij zette zijn schaaltje op de grond, blies de kaars uit, pakte mijn hand en nam me mee naar buiten. Geen Trevorhand of een mager Billy Boyhandje. Hij had de heerlijkste hand van de hele wereld.

We liepen naar het midden van het ongemaaide gazon en voor ik kon bedenken dat dit wel een droom moest zijn, lagen we al in het hoge gras en staarden we samen naar het heelal. Hand in hand.

Ik voelde de spinring, vroeg me af wat die allemaal al gezien had. Zijn zolderkamer, zijn gitaar, zijn bed.

Zwijgend lagen we daar.

Ik wilde hem kussen.

Maar zijn ogen waren bij de sterrenhemel.

'Heb je veel vrienden?' vroeg ik.

'Ik heb overal vrienden. In Roemenië, Parijs, New York. Maar niet zoveel met wie het echt klikt.'

'Ik wed dat je wel duizend meisjes hebt gekend voordat je hierheen verhuisde.'

'Er zijn overal meisjes. Maar nooit het meisje dat je accepteert zoals je bent. Ik wil liever iets … blijvends.'

Iets blijvends? Voor altijd? Eeuwigdurend? Maar dat durfde ik niet te vragen.

'Ik wil een relatie waar ik mijn tanden in kan zetten,' ging hij door.

Echt? Nou, hier ben ik! dacht ik. Maar hij keek me niet aan. Integendeel, Alexander staarde naar de hemel.

'Dus hier heb je nog geen vrienden?'

'Eentje,' antwoordde hij.

'Jameson?'

'Die bedoelde ik niet.'

Er viel een lange, dolgelukkige stilte.

'En jij?' verbrak hij die heerlijke stilte uiteindelijk.

'Becky is de enige die me accepteert zoals ik ben, maar dat komt omdat ik de enige ben die haar nooit in elkaar slaat.' We schoten in de lach. 'Voor de rest vindt iedereen mij een lijpo.'

'Ik niet.'

'Echt niet?'

Dit moest de ware liefde zijn. Geen mens in de hele wereld had me tot nu toe geen lijpo gevonden. Geen mens.

'Je lijkt wel wat op mij,' zei Alexander. 'Je gaapt me niet aan en denkt tenminste niet dat ik een geschifte freak ben.'

'Iedereen die jou geschift vindt, krijgt een mep.'

'Dat heb je al laten zien,' grinnikte hij. 'Het is een wonder dat dat racket niet aan flarden lag.'

Weer schoten we in de lach. Ik waagde het mijn vrije arm over zijn borst te leggen. En mijn eerste gothic maatje streelde zachtjes die arm.

'Zijn dat kraaien?' vroeg ik zo onschuldig mogelijk. Ik wees naar de zwarte fladderaars die boven en om Het Landhuis heen en weer schoten.

'Dat zijn geen vogels,' zei Alexander. 'Dat zijn vleermuizen.'

'Vleermuizen!'

'Daar ben je toch niet bang voor? Het zijn prachtige dieren.'

'Dat weet je zeker?' viste ik.

'Vleermuizen zijn ongevaarlijk. En ze zullen nooit in jouw mooie zwarte haren verstrikt raken. Wel in die opgetutte haren die stijf staan van de haarlak.'

'Houden ze dan van haarlak?'

'Integendeel. Ze haten die troep.'

En zachtjes streelde hij door mijn haar. Ik dacht dat ik weg zou smelten! Hij nam er zeker meer tijd voor dan Trevor. Maar ik wilde het antwoord nu. Voorzichtig speelde ik met zijn lange haren, die zijdeachtig glansden van de mousse.

'Houden vleermuizen wel van mousse?' plaagde ik hem.

'Ze vinden dat geweldig in combinatie met een zijden Armani,' lachte hij.

Ik kroop over hem heen en drukte zijn armen tegen de grond. Verrast keek hij me aan. Ik wachtte op zijn kus. Maar hij kuste me niet. Natuurlijk kuste hij me niet! Ik hield hem tegen de grond. Wat wilde ik nu eigenlijk?

'Wat vind jij het leukst aan vleermuizen, Batgirl?' vroeg hij, terwijl ik verlangend in zijn ogen staarde.

'Dat ze kunnen vliegen!'

'Zou je ook willen vliegen?'

Ik knikte.

Hij wurmde zich onder mij vandaan en keerde de rollen om. En opnieuw wachtte ik op zijn kus. Niets. Hij staarde me aan.

'Wat vind jij zo leuk aan vleermuizen, Batboy?' vroeg ik.

'Hun vampiertanden!'

Ik hapte naar adem.

'Je hoeft niet bang te zijn,' lachte hij en hij kneep in mijn handen. 'Ik bijt je niet … nog niet.'

'Ik ben niet bang,' zei ik. 'Maar ik ben gestoken door een mug!'

Ik trok een hand los en krabde verwoed in mijn hals.

Hij bekeek de beet als een arts. 'Dat wordt een flinke bult. We kunnen er beter wat ijs op doen.'

'Welnee, dat komt wel goed. Ik ben wel vaker door een mug gestoken.'

'Maar ik heb toch liever niet dat je je ouders moet vertellen dat je tijdens je eerste avondje met mij al bent gebeten,' zei Alexander.

Maar dat was dus precies wat ik wel had willen vertellen! Wat ik de hele wereld had willen vertellen! Die stomme mug had alles verpest!

Hij nam me mee naar de keuken en drukte een ijsblokje tegen de muggenbeet. Heerlijk! Zwijmelend luisterde ik naar de oude klok die de tijd sloeg. Negen ... tien ... elf ... twaalf. Jezus! Twaalf uur! Het was niet waar!

'Ik moet meteen weg!' riep ik geschrokken.

'Nu al?' vroeg Alexander teleurgesteld.

'Mijn vader kan ieder moment bellen uit Las Vegas en als ik niet thuis ben, dan word ik de rest van mijn leven thuis onderwezen!'

Kon ik maar samen met hem op zijn zolderkamer wonen, waar de Engerd dan iedere ochtend Graaf Choculacornflakes serveerde. Ik had nog nooit iemand zo erg gemist, vooral nu ik nog bij hem was!

'Bedankt voor de bloemen, het eten en de sterren.'

Haastig zocht ik naar de sleutels van Becky's pick-up.

'En jij bedankt voor je komst, Raven,' zei hij.

Hij was zo gruwelijk mooi. Maar hij leek ook zo alleen. Kus me nou toch, smeekte ik. Kus me voor eeuwig. Kus me tot mijn adem verdwenen is. Zet je tanden in mijn hals en in mijn ziel en in mijn hart.

'Raven?' klonk het aarzelend.

'Ja?'

'Wil je dat ik ... je ...'

'Ja ...?' Ja, ja, ja.

'Wil je dat ik je nog een keer uitnodig of wil je liever door het kelderraampje naar binnen blijven sluipen?'

'Nodig me alsjeblieft nog een keer uit,' fluisterde ik. En ik wachtte. Een kus. Als hij me nu zou kussen, dan waren we voor eeuwig verbonden.

'Goed dan, afgesproken. Ik bel je.'

En toen kuste hij me ... op mijn wang. Op mijn wang? Maar toch, het was heerlijker en romantischer dan die keer dat Jack Patterson me op mijn wang kuste. En zeker heerlijker en romantischer dan die keer toen Trevor me tegen een boom duwde. En hoe graag ik ook een echte kus, een echte vampierkus wilde, deze kus miste zijn uitwerking niet. Ik werd helemaal week vanbinnen en mijn ogen draaiden weg en mijn benen werden van zachtgekookte vermicelli.

Tijdens de rit naar huis brandden zijn lippen op mijn wang. Mijn huid gloeide van opwinding, mijn lijf trilde van verlangen. Dit had ik nooit eerder gevoeld!

En toen ik aan de muggenbeet in mijn hals krabde, hoopte ik vurig dat ik niet in een reuzenmug zou veranderen!

'Pap legt Becky nu uit hoe je blackjack moet spelen,' fluisterde Billy angstig, toen ik binnenstormde. 'Hij heeft haar al alles verteld, over elk casino in Las Vegas. En dat is heel veel!'

'Bedankt,' mompelde ik tegen Becky en ik nam de telefoon over.

'Die Becky houdt wel van een praatje,' begon pap. 'Ik had geen idee dat ze zo geïnteresseerd was in Las Vegas. De volgende keer neem ik *haar* mee. Ze vertelde dat jullie de hele avond vampiers hebben gekeken.'

'Ja …'

'*Revenge of Dracula* voor de vijftiende keer?'

'Nee. Een nieuwe. *Kus van een vampier.*'

'Een goeie?'

'Twee duimen, pap, twee duimen.'

De uitnodiging

De volgende dag aten Becky en ik enorme ijsco's buiten op de stoep bij Shirleys Bakkerij. Een Vanille Royale en een Chocola Mount Everest.

'Ik voel nog steeds mijn huid tintelen waar hij me gekust heeft!' zei ik. 'Weet je, Becky, voor het eerst in mijn leven wil ik niet meer weg uit Oersaai, omdat daarboven op de heuvel mijn gothic dreamguy woont. Ik moet voortdurend aan hem denken. Ik wou dat je hem ook kon ontmoeten, dan zou je begrijpen hoe geweldig hij is!'

Plotseling stopte er een rode Camaro langs de stoep.

'Matt heeft de pick-up van Becky gisteravond gezien, geparkeerd voor de poort van het spookhuis,' verklaarde Trevor op zijn gebruikelijk arrogante toontje, terwijl hij naar ons toe slenterde. Hij staarde Becky recht aan. 'Met de verfspuit bezig geweest, boerin Igora?'

'Nee,' verdedigde ik Becky vrolijk, voordat ze zelf iets kon zeggen, wat ze waarschijnlijk toch niet gedurfd zou hebben. Trevor zou vandaag mijn heerlijke humeur niet verpesten.

Trevor bleef Becky aanstaren, alsof ik niet bestond. Matt stond achter hem, alsof er niemand bestond.

'Heren,' zei ik. 'We zijn gek op jullie charmante gezelschap, maar helaas zitten we net in een zakelijk gesprek. Dus als jullie niets belangrijks te melden hebben, laat dan alsjeblieft een boodschap achter bij mijn secretaresse.'

'Kijk, kijk, mengt Shirley haar ijsjes voor zwartgallige monstermeisjes tegenwoordig met Prozac?' lachte Trevor spottend.

Onverstoorbaar likte ik van mijn ijsje.

'Of was jij daar soms?' giste Trevor.

'Misschien waren het Becky's ouders wel. Het is tenslotte hun pick-up. Je hoeft geen natuurkundige te zijn om daarachter te komen, wel?'

'Eigenlijk vermoed ik dat jij en Becky gisteravond een afspraakje hadden met de Addams Family!' ging Trevor door.

'Ik hoor je mama roepen,' zei ik.

'Ze zijn immers van jouw soort. Dodelijk bleek en verschrikkelijke losers. Ze hebben niet eens geprobeerd of ze lid mochten worden van de tennisclub. Nou ja, vampiers worden sowieso niet toegelaten.'

'Vampiers,' lachte ik ongemakkelijk. 'En wie zegt dat dan wel?'

'Iedereen, dombo! De Sterling Vampiers. Die gozer hangt 's nachts op het kerkhof rond. In godsnaam! Ik denk dat het ontsnapte gekken zijn. Complete lijpo's. Net zoals jij.'

'Kom op, Trev, laten we gaan,' zei Matt.

'Het is wel duidelijk wie er in jullie relatie de broek draagt,' zei ik tegen Trevor. 'O, maar dat is waar ook, jouw broek hing natuurlijk aan mijn kastje.'

Trevor graaide het ijsje uit mijn handen.

'Hé, geef hier!' riep ik. Het was Trevor uiteindelijk dus toch gelukt om mijn stralende humeur te verpesten.

'Ze is wel onbeleefd, hè? Vind je ook niet, Matt?' vroeg Trevor sarcastisch. 'Ze heeft ons niet eens een ijsje aangeboden.'

'Geef terug, zak!' schreeuwde ik opnieuw.

Met zijn dikke tong ging hij langs mijn ijsje.

'Getver! Nu zitten er van die vieze snobbacillen aan. Hou maar,' griezelde ik.

'Wil je het niet meer terug?' vroeg hij treiterend en hij zwaaide met het ijsje voor mijn gezicht. 'Hmm, heerlijk, hoor.'

'Kom, Becky, we gaan.'

'Gaan jullie nu al?'

'Ik dacht dat ik van je af was,' snauwde ik naar Trevor.

'Van me af? Schatje toch, je breekt bijna mijn hart. Betekent dit dat je onze verloving verbreekt?'

'Kom op, Trev,' zei Matt. 'We hebben wel andere dingen te doen.'

'Ik weet dat je dit leuk vindt, griezelchick. Als ik er niet was, dan keek er niemand naar je om.'

'En zou ik het gelukkigste meisje in de wereld zijn,' zuchtte ik.

'Ik wacht in de auto op je.' Matt werd duidelijk ongeduldig.

'Kom er zo aan,' reageerde Trevor en hij boog zich naar me toe. 'Als je echt het gelukkigste meisje van de wereld wilt worden, ga dan met me mee naar het Sneeuwbal.'

Wat? Trevor vroeg mij mee uit dansen? En van alle feesten, nota bene, naar het Sneeuwbal? Het grote schoolbal met plastic ijspegels en nepvlokken aan het plafond en nepsneeuw op de vloer? Hij met mij aan zijn arm voor het oog van al zijn kakvriendjes en -vriendinnetjes? Dit was een grap. Ik zou daar op mijn gothicbest op hem staan wachten en hij zou niet op komen dagen. Of hij zou een ketel rood slijmspul over me heen kieperen, zoals in *Carrie*.

Maar zelfs als Trevor serieus was en mij in het meest uitzonderlijke geval echt leuk vond, dan nog kon ik niet met hem in zee gaan. Niet nu ik Alexander Sterling had leren kennen.

'Het wordt een avond om nooit te vergeten,' zei hij verleidelijk.

'Dat zal wel,' antwoordde ik. 'Maar ik wil de rest van mijn leven geen nachtmerries!'

'Kun je je niet één keer van voor die tv wegslepen?'

'Dat is het niet,' zei ik. 'Ik ga al.'

'Alleen?' sneerde Trevor. 'Of met een opblaaspop?'

'Ik heb al met iemand afgesproken.'

Becky's mond viel open. En niet alleen Trevor en Becky werden verrast door mijn onbezonnen uitlating.

'Ja, in je dromen!' zei Trevor. 'Ik vroeg je alleen maar uit medelijden. Haal je maar niets in het hoofd. Niemand anders zou daar met jou durven komen, tenzij hij dood was.'

'We zullen wel zien, nietwaar?'

'Ik ga!' riep Matt vanuit zijn auto. 'Kom je nu nog, of niet?'

'Bedankt voor het ijsje, griezel,' zei Trevor, terwijl hij instapte. 'Maar de volgende keer heb ik toch liever aardbeien.'

Ik keek hoe mijn Chocola Mount Everest smolt op de straatstenen.

'Hier, je krijgt die van mij,' zei Becky troostend. 'Maar ik weet dat je pure vanille niet lekker vindt.'

'Nee, bedankt. Ik heb belangrijker dingen dan ijsjes aan mijn hoofd. Hoe krijg ik een afspraakje bijvoorbeeld!'

Iedere keer als de telefoon ging, sloeg mijn hart over. Alexander? En als hij het niet was, brak mijn hart in duizend stukjes. Ik had nog nooit zo'n verlangen gevoeld. En ik was compleet van slag. Ik wilde hem in mijn leven. Nu, altijd, eeuwig. Het was al twee dagen geleden dat ik mijn gothic maatje gezien had. Ik werd helemaal in beslag genomen door Alexander. Niets anders interesseerde me nog. Zelfs de tv niet. Ik droomde van onze bruiloft! Ik waste de plek niet waar zijn liefdevolle lippen mij gekust hadden. Wat gebeurde er met me? Ik raakte mijn verstand kwijt! Voor het eerst in mijn leven was ik bang. Bang dat ik hem nooit meer zou zien, bang om afgewezen te worden.

Als ik Alexander mee zou vragen naar het bal, zou hij zich waarschijnlijk doodschrikken. 'Geen haar op mijn hoofd, niet naar zo'n dood schoolfeest,' zou hij zeggen. 'Dat ligt al achter me. En ik dacht dat voor jou hetzelfde gold.'

Natuurlijk. Dat lag ook achter me, zelfs al was ik nooit naar zo'n feest geweest om het achter me te kunnen laten. Normaal gezien ging ik ook niet naar die stomme dansfeesten die door het jaar heen georganiseerd werden. Ik bleef altijd thuis met Becky en keek tv. Maar ik had me laten uitdagen door Trevor en moest wel terugslaan. Met een wapen dat ik niet had: Alexander.

Maar het gevoel dat je niet kunt eten en niet kunt slapen was helemaal nieuw voor me. En dat ik mijn hart ophing aan een enkel telefoontje, de longen uit mijn lijf schreeuwde dat Billy de lijn niet bezet moest houden met z'n idiote internet, dat ik niet meer naar Nosferatu kon kijken zonder te huilen of kon luisteren naar dat zoetsappige gekwijl van Celine Dion zonder te denken dat het liedje voor mij was geschreven: ik werd er gek van.

Sommige mensen noemen dit gevoel 'liefde'. Ik noem het 'hel'.

Maar toen gebeurde het, na twee lange, martelende dagen. De telefoon rinkelde. Ik dacht dat het voor Billy was en toen Billy mij riep, dacht ik dat het Becky was. Ik maakte me al gereed om mijn hart bij haar uit te storten. Maar voordat ik iets kon zeggen, hoorde ik zijn dromerige stem. Zijn stem!

'Ik kon niet langer wachten,' zei hij.

'Pardon?' vroeg ik verbaasd.

'Je spreekt met Alexander. Ik weet dat jongens in de regel niet zo snel horen terug te bellen, maar ik kon niet meer wachten!'

'Wat een vreemde regel! Ik had jou ook kunnen bellen, hoor,' zei ik.

'Na twee dagen al?'

'Waren het maar twee dagen, dan?'

'Het voelde als een eeuw!' lachte Alexander.

Elk woord trof mijn hart als een regelrechte liefdesverklaring.

Ik wachtte op meer. Maar er viel een stilte. Hij zei niets meer. Kom op, Raven, dit is het moment om hem mee te vragen naar dat schoolbal. Het ergste wat hij kan doen, is ophangen. Maar om als eerste de stap te zetten, dat was het moeilijkst. Jezus, was ik blij dat ik geen jongen was, dan moest je dat de hele tijd op je nemen! Mijn handen beefden en met het zweet sijpelde ook langzaamaan mijn zelfvertrouwen weg. Ik moest nu actie ondernemen. Nu.

'Alexander … eh … ik wil je iets vragen.'

'Ik jou ook.'

'Goed, jij eerst,' zei ik opgelucht.

'Nee, dames gaan voor.'

'Dat klopt, maar jongens horen het initiatief te nemen.'

'Oké.'

Stilte.

'Wil je … Raven, wil je met me uit? Morgenavond?'

Ik was volmaakt gelukkig. Van de hel in de hemel.

'Uit? Morgenavond? Ja, te gek!'

Een opgeluchte zucht aan de andere kant. 'Nou jij. Wat wilde je mij vragen?'

Stilte.

Ik kan het! Ik kan het! Ik haalde diep adem. 'Wil je …'

'Ja?'

'Hou je van …'

'Hou ik … waarvan?'

'Hou je van dansen?' Goed, heel goed. Een goed begin.

'Ja, zeker, maar ik dacht niet dat er hier … weet jij dan een plek waar je hier lekker kunt dansen?'

'Nee … maar, ik bedoel, als ik zo'n plek vind …' O, wat ben ik een schijtluis!

'Afgesproken!' zei Alexander. 'Dan zie ik je dus morgenavond, na zonsondergang.'

'Na zonsondergang?'

'Je zei toch dat je van de duisternis hield? Nou, ik ook.'

'Je bent het niet vergeten.'

'Ik ben niets vergeten, Raven,' zei hij. 'Tot morgen.'

Droomafspraak

Mijn eerste afspraak! Becky zei dat het etentje op Het Landhuis de eerste afspraak was geweest, maar ik was het niet met haar eens. Vanavond zouden we uitgaan. Naar de film of een colaatje delen bij Shirleys of wandelen in de maneschijn …

De hele middag moest ik het erover hebben met Becky. Wat zouden we gaan doen? Wat zou hij aanhebben? Wanneer zou hij me eindelijk kussen? Toen de zon eenmaal onderging, was ik niet meer te houden. Ik rende de hele weg. We hadden afgesproken buiten het smeedijzeren hek. Mijn moeder zou gillen als ze wist dat ik een afspraak had met die jongen uit het spookhuis. Bovendien zou ik het vreselijk vinden als hij bij mij aan de deur zou komen en pap hem allerlei vragen zou gaan stellen over tennisspelers en over zijn plannen voor de toekomst. Nee, ik wilde mijn Romeo ontmoeten op zijn balkon.

Daar stond hij, leunend tegen het hek. Zo sexy, in zijn zwarte jeans en zijn zwartleren jas en met een rugzak om!

'Gaan we een trektocht maken?' vroeg ik.

'Nee, we gaan picknicken.'

'Nu?'

'Weet je een beter tijdstip?'

Lachend schudde ik mijn hoofd.

Ik had geen idee waar we heen zouden gaan, maar ik kon me de reactie van de Oersaaianen voorstellen als ze ons zagen.

'Hindert dat je niet?' vroeg ik, wijzend op de graffiti.

Alexander haalde zijn schouders op. 'Jameson wilde er wel overheen verven, maar dat vond ik niet nodig. Wat voor de één graffiti is, is voor de ander een meesterwerk.' Hij pakte mijn hand en liep de straat in zonder iets los te laten over het doel van deze avond. En mij maakte het niet uit, als het maar ver weg was en hij bij mij bleef.

We bleven staan bij het kerkhof van Oersaai. Niemand had mij ooit mee uit genomen, laat staan naar een kerkhof. Meesterlijk! Het kerkhof dateerde uit het begin van de negentiende eeuw. Het is wel zeker dat Oersaai toen heel wat opwindender was dan nu. Een pioniersstadje. Met bars, gokkers, kooplui en die victoriaanse heksenlaarsjes!

'Neem je al je afspraakjes mee naar het kerkhof?' vroeg ik.

'Ben je bang?'

'Nee.'

'Waarschijnlijk is dit kerkhof de opwindendste plek in Oersaai,' verklaarde hij.

De geruchten waren dus waar. Alexander hing 's nachts op het kerkhof rond!

Het hek was op slot, waarschijnlijk om eventuele vandalen te ontmoedigen.

'We moeten klimmen,' zei hij. 'Maar ik weet dat jij niets liever doet dan over hekken klimmen.'

'Dit kan ons wel in moeilijkheden brengen,' waarschuwde ik.

'In huizen binnensluipen niet?' vroeg hij. 'Maak je geen zorgen, ik ken hier iemand.'

Dood? Een lijk? Een bewaker? Een vampier? Misschien werkte een neef van Jameson op het kerkhof? Als opgraver?

Alexander keek beleefd de andere kant op, terwijl ik me over het hek heen worstelde in mijn nauwe spandexjurkje. Voor hem was het een makkie. Hij was de sterkste gothic superheld in het hele universum!

Nadat we ons wat afgestoft hadden, nam hij mijn hand en leidde me over het hoofdpad tussen de lange rijen grafstenen door. Sommige grafstenen spraken van een verwoestende plaag gedurende de negentiende eeuw. Alexander liep onverstoorbaar door alsof hij precies wist waar hij zijn wilde.

Waar bracht hij me heen? Wie kende hij hier? Sliep hij hier? Wilde hij me hier kussen? Veranderde ik dan in een vampier? Ik hield in. Wilde ik echt een vampier zijn? En dit 'thuis' noemen? Voor eeuwig?

Ik struikelde over een spade en tuimelde naar voren. Een gapend leeg graf lag voor me. In een oogwenk had Alexander mijn arm te pakken. Daar hing ik, boven dat lege graf, en ik staarde in de duisternis.

'Niet bang zijn,' grapte Alexander. 'Je naam staat er niet boven.'

'Ik geloof dat ik eigenlijk thuis hoor te zijn,' mompelde ik zenuwachtig en ik veegde het kerkhofstof van mijn jurk.

Maar hij leidde me zelfverzekerd verder het kerkhof op.

Plotseling stonden we op een heuveltje aan de voet van een enorm marmeren grafmonument.

Hij raapte een paar narcisjes die waren weggewaaid op en legde ze terug bij de kleinste zuil.

Alexander keek me teder aan. 'Kom, ik wil je aan iemand voorstellen.' Zijn blik richtte zich op de grafsteen voor de zuil.

'Oma, dit is Raven.'

Ik staarde naar de grafsteen, sprakeloos. Ik had nog nooit een dode ontmoet. Wat moest ik zeggen? Je lijkt op je oma?

Natuurlijk verwachtte hij niets van me. Hij ging in het gras zitten en trok me naast zich op de grond.

'Oma heeft hier gewoond, ik bedoel, in het huis. Ze liet ons het huis na. De bevestiging van de geldigheid van het testament duurde jaren, maar eindelijk wonen we er dan toch. Ik heb altijd van Het Landhuis gehouden.'

'Wauw. Dus de nicht van de hertog was jouw oma?'

'Als ik me alleen voel, zoek ik haar op. Ze begreep altijd zo goed hoe het voelde om alleen te zijn.' Hij zuchtte diep en zijn ogen verdwenen in het sterrenheelal boven ons. 'Het is fantastisch hier, vind je niet?' fluisterde hij verder. 'Nergens vals licht dat de sterren onzichtbaar maakt. De hemel lijkt van hieruit net een alomvattende zwarte tuin met een gouden regen van sterren, die eeuwig schijnen en schitteren. Het grootste en mooiste schilderij, dat er altijd is om naar te kijken als je het maar wilt zien. Maar de meeste mensen zijn te druk en hebben geen oog voor het licht van de nacht. Terwijl dit het allermooiste is van het hele universum! Nou ja, bijna het allermooiste.' Hij knipoogde naar me en streelde mijn hand.

Te gek! Hij was echt helemaal te gek!

Minutenlang staarden we naar de hemel. Ik hoorde zijn rustige ademhaling en de sjirpende krekels. Alle eerste afspraakjes zouden zo mooi moeten zijn als dit. Dit sloeg werkelijk alles!

'Dus jouw oma was die dame die altijd uit het raam keek? Nou ja, ik bedoel ...'

'Mijn oma was kunstenares. Toen ik klein was, zag ik haar vaak. Ze leerde me tekenen. Superhelden en monsters. Veel monsters!' vertelde Alexander.

'Ik weet het.'

'Hoezo, je weet het?' vroeg hij verbaasd.

'Ik bedoel dat ik weet dat het niet gemakkelijk voor je is. Maar ik ben ook gek op vampiers!' moedigde ik hem aan.

Maar Alexander dacht aan heel andere dingen. 'Mijn ouders en ik hebben zoveel gereisd. En omdat ik altijd thuis werd onderwezen, kreeg ik nooit de kans om ergens bij te horen.'

Hij leek zo verlaten, zo alleen, zo supergevoelig. Ik wilde hem kussen. Nu. Ik wilde hem laten weten dat ik voor altijd van hem was.

'Kom we gaan eten,' onderbrak hij plotseling de stilte.

Hij zette vijf zwarte kaarsen in een sierlijke votiefkandelaar en stak ze aan met een antieke aansteker. Daarna haalde hij een fles koolzuurhoudende sinaasappelsap, crackers en kaas uit zijn rugzak en legde hij een zwart kanten tafelkleed op het koude gras.

'Ben je wel eens verliefd geweest?' vroeg ik toen hij mijn kristallen glas vulde.

Onverwachts leek de wind te huilen en de kaarsen flakkerden uit.

'Wat was dat?' vroeg ik.

'Waarschijnlijk een hond.'

'Het leek meer op een wolf!'

'Het maakt niet uit, we moeten ervandoor!' zei hij gehaast.

Ik begon alles terug te stoppen in de rugzak.

'Daar hebben we geen tijd voor!' Hij greep mijn hand.

Het huilen werd erger. Het geluid naderde.

We doken weg achter het monument.

'Als je denkt dat je een geest tegen zult komen, dan verzeker ik dat je zelf de enige geest bent die je vannacht zult ontmoeten,' riep een bekende stem ons tegemoet.

Een oude man met een zaklamp hoorde bij de stem. Oude Jim, de opzichter van het kerkhof, samen met Luke, de grote Deense dog.

Als hij me op dit uur van de nacht ontdekte, dan zou ik hem om moeten kopen met een voorraad hondenkoekjes voor minimaal een jaar. Anders zou hij mijn ouders inlichten.

We gluurden vanachter het monument en zagen de hond het sinaasappelsap van het gras likken.

'Geef maar hier, Luke,' zei Jim. Hij pakte de fles en nam een flinke slok.

'Nu,' siste Alexander. Hij hield me nog steviger vast en we renden alsof ons leven ervan afhing.

Voor een echte geest en een weerwolf was ik, denk ik, minder bang geweest dan voor Oude Jim en zijn grote Deense dog.

'Ik had je, geloof ik, toch beter mee naar de film kunnen nemen,' grijnsde Alexander toen we weer op adem waren gekomen. 'Ik zal je maar naar huis brengen.'

'Kunnen we niet naar jouw huis?' smeekte ik. 'Ik wil je kamer zien!'

'Dat kan niet,' antwoordde hij.

'Heel eventjes maar.'

'Nee, vergeet het maar.' Er klonk een spanning in zijn stem die ik nog niet eerder gehoord had.

'Wat is er met je kamer, Alexander?'

'Wat is er met jouw kamer, Raven?' vroeg hij, terwijl hij me aankeek. 'Waarom gaan we niet naar jouw huis?'

'Nou ... eh ...' Hij had gelijk. Ik kon hem niet meenemen en onderwerpen aan de blikken van Billy Boy en mijn ouders, die nog van niets wisten. Niet op onze eerste afspraak. 'Mijn kamer is een zootje.'

'De mijne ook.'

'Ik hoef echt nog niet naar huis, weet je!'

'Maar ik wil je niet in moeilijkheden brengen.'

'Moeilijkheden zijn normaal voor mij. Mijn moeder zou me niet herkennen zonder!'

Maar uiteindelijk liepen we rechtstreeks naar mijn huis. En hoe ik het tempo ook vertraagde, voor ik het wist, stonden we bij mij aan de voordeur.

'Nou dan ... tot ... de volgende keer ...' zei hij.

Wat glansde zijn gezicht prachtig in het licht van de voordeurlamp.

'Volgende keer ... het lijkenhuis?'

'Ik dacht meer aan een dvd, bij mij thuis,' antwoordde hij.

'Gut ... je hebt tv?' plaagde ik. 'Die werkt op elektriciteit, weet je.'

'En of ik dat weet, brutaal meisje, ik heb Bela Legosi's *Dracula*. Jij houdt toch zo van vampiers?'

'Dracula? Meer dan geweldig!'

'Oké, afgesproken dan. Morgenavond om zeven uur, goed?'

'Sensationeel!'

We hadden een nieuwe afspraak gemaakt en voor de rest konden we elkaar alleen nog gedag zeggen. Het juiste moment voor een goddelijke kus, zou ik denken. Hij legde zijn hand op mijn schouder en leunde naar voren. Zijn ogen gesloten en zijn lippen verlangend.

Toen hoorden we iemand de voordeursleutel omdraaien. En in minder dan een seconde verdween Alexander uit het licht en tussen de struiken.

Mijn moeder verscheen in de deuropening. 'Ik dacht dat ik stemmen hoorde,' zei ze. 'Waar is Becky?'

'Thuis.' En dat was nog de waarheid ook.

'Ik vind het vervelend als je weggaat zonder iets te zeggen, Raven,' wees ze me terecht. Ze hield de deur voor me open.

Ik keek om naar de plek waar Alexander verdwenen was, terugverlangend naar het verloren moment, terugverlangend naar een kans om zijn lippen op mijn lippen te voelen.

'Zijn jullie naar de film geweest?' vroeg mijn moeder, terwijl ik haar naar binnen volgde.

'Nee, naar het kerkhof.'

'Raven, zou je nu eens voor één keer in je leven gewoon een normaal antwoord kunnen geven?!' zei mijn moeder boos.

Voor één keer in mijn leven gaf ik haar gewoon een normaal antwoord.

Toen ik nog even omkeek voor een laatste glimp van mijn gothic droomvriend, sloot mijn moeder de deur van mijn hemelse eerste afspraak.

De kus van een vampier

Ik was altijd voor alles te laat: eten, school, de bioscoop. Maar voor Alexander was ik op tijd. Zelfs een beetje te vroeg, want ik klopte al om kwart voor zeven aan bij Het Landhuis.

Alexander deed zelf de deur open en kuste me heel lief op mijn wang. Ik was helemaal ondersteboven van deze plotse uiting van genegenheid.

'Dat gebeurt nooit als Jameson de deur opendoet!' zei ik.

'Als hij dat wel doet, dan wil ik dat graag horen. We hebben namelijk een afspraak, weet je. Ik kus zijn meisjes niet en hij kust mijn meisjes niet!' Alexander reikte me zijn hand met de spinring. Hij voelde zich goed, zelfverzekerd. Dat was duidelijk.

Ik liep achter hem de enorme trap op en hij bracht me naar een grote televisiekamer. De kamer was ingericht met moderne kunst, werken uit de jaren zestig, een reproductie van Andy Warhol, gebeeldhouwde barbiepoppen en opvallende, bonte kleden. Er stond een zwartleren bank, een breedbeeld-tv en een glazen salontafel, met daarop een grote schaal popcorn en verschillende soorten chips. Plus twee gifgroene glazen tot de rand gevuld met cola.

'Ik wil je het gevoel geven dat je echt in een bioscoop bent,' legde Alexander uit.

Hij deed de lichten uit, klikte de dvd aan en we nestelden ons op de bank, lekker dicht tegen elkaar aan. Ik nam een schaaltje buggles en hij paprikachips. De popcorn stond ergens tussen ons in op de bank.

Dracula stond op het punt om Lucy te bijten, toen Alexander zachtjes mijn hoofd wegdraaide van het beeld.

Met zijn betoverende donkere ogen keek hij me aan. Hij boog zich naar me toe ... En hij kuste me! Hij kuste me! Hartstochtelijk en liefdevol. Eindelijk kuste hij me! Voor de ogen van Bela Legosi!

Hij kuste me alsof hij me nooit meer zou kussen. In elke zenuw van mijn lijf trilde zijn liefde door. Toen ik me even losmaakte om adem te halen, begon hij mijn oren te kussen en aan mijn lelletjes te knabbelen. Ik giechelde als een klein meisje. Zijn tanden en lippen vonden zonder moeite de weg naar mijn hals. Zijn mond maakte me gek van verlangen. Hij had me totaal betoverd. Mijn hele leven had ik hierop gewacht! Met een zucht strekte ik mijn benen uit onder de salontafel. Behoorlijk onhandig! De schaal met popcorn kieperde om en ik liet van schrik mijn glas uit mijn hand glijden en Alexander boorde van schrik zijn tanden diep in mijn hals. Ik slaakte een kreet …

'Sorry, sorry, het spijt me!' verontschuldigde hij zich.

De popcorn lag op de bank in de cola te zwemmen en ik legde mijn hand in mijn hals, die net zo hard klopte als mijn hart.

'Raven, gaat het?' hoorde ik hem ergens in de verte.

Al het bloed stroomde uit mijn hoofd weg. De kamer tolde om me heen en een golf van misselijkheid rolde door mijn maag. Wat bij al die stomme meiden in die stomme soaps gebeurt, gebeurde mij ook: ik ging van mijn stokje.

Uren later, dacht ik, maar in werkelijkheid waren het een paar seconden, werd ik wakker, terwijl Alexander mijn naam riep. Dracula was nog steeds in de kamer van Lucy. Alleen waren nu de lichten aan.

'Raven? Raven?'

'Wat is er gebeurd?' vroeg ik, terwijl ik de waarheid al vreesde.

'Je bent flauwgevallen! Ik dacht dat dat alleen voorkwam in die films uit de jaren vijftig! Hier, drink maar.' En hij zette een glas water aan mijn mond alsof ik een klein kind was.

Alexander zag nog bleker dan normaal. Hij pakte wat ijsblokjes van de tafel en legde ze tegen mijn hals. 'Het spijt me echt! Ik wilde je niet …'

'Jezus, wat koud!' gilde ik.

'Ik heb alles verpest!' riep Alexander wanhopig uit, met nog steeds die druipende ijsblokjes in mijn hals.

'Ach, welnee. Dit gebeurt zo vaak.'

Hij keek me vreemd aan.

'Ik bedoel, nou ja, zoiets stoms,' zei ik.

'Ik wilde zo graag dat het perfect was.'

'Maar dat is het ook,' zei ik. 'Dat is het, echt!'

'Laat me nog eens kijken.' Hij bestudeerde aandachtig mijn hals. Ik voelde zijn vingers over de plek strelen.

'Het is een stuk groter dan de muggenbeet. Dit wordt een enorme zuigplek!'

'Bela zou er trots op zijn,' grijnsde ik.

Alexander keek me aan. 'Hij zou jaloers zijn,' lachte hij.

'Ik moet je iets vragen,' zei ik zenuwachtig, toen we naar mijn voordeur liepen. Als ik hem mee wilde vragen naar het Sneeuwbal, dan moest ik dat nu doen, anders deed ik het nooit.

'Om je niet meer te bellen? Wil je me niet meer zien? Luister, Raven ...'

'Nee, dat is het niet ... Ik wil je gewoon vragen ...'

'Ja, wat dan?'

'Eh ... ik weet waar we kunnen dansen,' begon ik.

'Dansen? Hier in Oersaai?'

'Ja.'

'Is het cool?' vroeg hij.

'Nee, maar ...'

'Als jij erheen gaat, moet het toch wel behoorlijk cool zijn.'

'De school,' zei ik.

'School ...?'

'Ach, ik dacht wel dat je dat maar niks zou vinden. Laat maar zitten. Vergeet maar dat ik erover begonnen ben.'

'Ik ben nog nooit op een schoolbal geweest,' zei hij.

'Echt niet? Nou, ik ook niet.'

'Mooi zo, dan gaan we allebei voor het eerst,' zei hij met zijn onweerstaanbare sexy lach.

'Te gek. Het heet het Sneeuwbal. Ik zal een wollen sjaaltje dragen om de zuigplek te verbergen,' zei ik plagerig.

'Het spijt me. Het was echt een ongelukje!'

'Een leuker ongelukje kan ik me niet voorstellen!'

Hij boog naar voren om me te zoenen, maar stopte abrupt. 'Het is beter van niet.'

'Zeker wel!'

Hij boog opnieuw naar voren. Onze lippen versmolten en zijn sterke hand hield mijn kin liefdevol vast.

'Tot de volgende keer,' fluisterde hij in mijn mond.

Toen liep hij terug en blies vanaf de straat nog een lieflijk handkusje in mijn richting.

Ik voelde aan de plek waar hij me gebeten had. Ik wist het zeker. Ik voelde me al veranderen.

De volgende dag ging ik meteen na school met Becky naar het Evanspark. Op een donker plekje in de buurt van de schommels maakten we onze rugzakken open. We hadden alle benodigdheden bij ons. Een fototoestel, mijn onderzoeksrapport en een zakspiegeltje. We legden alles voor ons op de grond. Plus een plastic zakje met een teentje knoflook en een kruisje in een leren buideltje.

'Wil je de beet zien?' vroeg ik.

'Is het erg?'

'Jij gaat toch niet flauwvallen, hè?' vroeg ik, terwijl ik voorzichtig het zwarte sjaaltje dat ik de hele dag al droeg van mijn hals knoopte.

'Wauw! Die heeft een grote mond!' Becky staarde met grote ogen naar mijn zuigplek.

'Cool, vind je niet?'

'Ik zie tandafdrukken, een paar krassen, maar hij is niet door de huid gegaan. Doet het pijn?'

'Niet echt. Het is net als een gaatje in je oor laten prikken. Eerst prikt het en daarna verdwijnt de pijn vanzelf.'

'Het litteken verdwijnt toch ook, of niet?'

'Dat zullen we onderzoeken. Pak het fototoestel maar.'

Becky nam vanuit verschillende hoeken foto's van de wond.

'Oké, nu de spiegel,' besloot ik.

'Weet je het zeker?'

'Ja.'

'Maar als je nu echt een, je weet wel, als je echt een … dan doet dit toch pijn?'

'Kom op, Becky, we hebben niet de hele dag.'

Ik zette mijn zonnebril af.

'Klaar?' vroeg Becky met de spiegel in haar hand.

'Klaar.'

Becky opende het zakspiegeltje en duwde het tegen mijn neus.

'Auw,' riep ik. 'Je hoeft me er niet mee te slaan. Geef maar hier!' Ik trok het zakspiegeltje met bevende handen uit haar hand en staarde. Niets. Of eigenlijk, alles. Mijn spiegelbeeld staarde me teleurgesteld aan.

'Probeer de knoflook,' beval ik en ik gooide het spiegeltje opzij.

Becky opende het plastic zakje, haalde het teentje knoflook eruit, brak het doormidden en hield het onder mijn neus. Ik snoof de geur diep op. En kreeg een hoestbui.

'Gaat het?' vroeg Becky bezorgd.

'Jezus, wat sterk!'

'Ik vind het wel lekker, het zuivert mijn neusbijholte.'

'Nou, daarvoor ben ik hier niet. Het is de bedoeling dat ik het weerzinwekkend vind.'

'We hebben nog één kans.' Becky trok het koordje van het leren zakje open. 'Klaar?'

Ik haalde diep adem. 'Ja.'

Becky trok een kruisje tevoorschijn, dat met juwelen versierd was en aan een gouden kettinkje hing.

'Wauw, dat is cool,' zei ik. 'Dat ziet er bijzonder uit.'

'Heb je er last van?'

'Ja, ik heb er last van. Ik heb er last van dat geen van deze dingen me last bezorgen. Het werkt niet!'

We borgen alle attributen weer op en verlieten ons donkere plekje. De zon straalde op ons neer.

'Dit is wel erg fel, als je zo lang in het donker gezeten hebt.' Becky zette haar zonnebril op.

'Niet nog meer zout in mijn wonden strooien, Becky Miller!'

'Ik ben toch blij dat je geen vampier bent,' zuchtte Becky opgelucht.

Wat dacht ik nu werkelijk? Alexander is hartstikke speciaal. Waarom gedraag ik me als Trevor?

We staarden in het zonlicht.

'Ik heb me volledig laten meeslepen door al het geroddel,' mopperde ik. 'Net als alle andere Oersaaianen. Ik ben geen haar beter. Andere kleren, dat is het enige. Voor de rest ben ik net zo leeg als zij zijn.' Ik was teleurgesteld in mezelf.

'Je wilde gewoon heel graag dat hij een vampier zou zijn omdat je nu eenmaal gek bent op vampiers!' probeerde Becky vergoelijkend.

'Ja, bedankt. Misschien moet ik het nog vierentwintig uur geven,' zei ik toen we naar huis liepen.

De volgende dag was weer zo'n zonnige dag. Behalve dat ik niet meteen verschroeid was in de zon, was het zelfs zo dat de warmte aangenaam op mijn huid voelde. En de spiegels sprongen niet zoals voor Gary Oldman in *Bram Stoker's Dracula*, maar weerspiegelden hetzelfde bleke meisje in het zwart, zoals altijd. En het enige wat ik verlangde, was een chocolademilkshake van Shirleys. Shit!

Toch klopte mijn hart een stuk sneller toen mijn moeder die avond pasta met veel knoflook op tafel zette. Ze keken me aan alsof ik van Mars kwam, toen ik met mijn vingers de spaghetti omhoogtrok, eraan rook en voortdurend diep snoof.

'Wat is er met jou aan de hand?' vroeg Billy Boy. 'Je gedraagt je behoorlijk vreemd, zelfs voor jouw doen.'

Ik draaide wat pasta om mijn vork en bracht die tergend langzaam naar mijn mond. 'Nu gebeurt het,' zei ik.

Mijn ouders dachten vast dat ik gek geworden was. De spaghetti raakte mijn tong, ik begon te kauwen en te kauwen en slikte de hap door.

'Wat gebeurt er nu?' vroeg mijn moeder.

Ik wachtte. Tot mijn keel in brand zou vliegen en mijn huid zou verschrompelen, tot ik zou stikken bij de eerste smaaksensatie van knoflook.

'Wat gebeurt er nu?' herhaalde mijn moeder.

Niets dus. Helemaal niets!

'Niets,' gromde ik.

Goed, ik smolt dus niet weg in de zon, spiegels spatten niet uit elkaar en ik verschrompelde niet bij de lucht van knoflook. Toch voelde ik Alexanders invloed op verschillende manieren. Ik leek tien centimeter boven de straat te zweven, alsof ik kon vliegen als een vleermuis. 's Nachts kon ik absoluut niet slapen, mijn brein werkte op volle toeren, ik droomde van hem en iedere kus herhaalde zich duizendmaal. Tijdens de lessen krabbelde ik in al mijn schriften onze namen in rode hartjes. Ieder moment van de dag wilde ik bij hem zijn, want wat hij ook was, hij was *mijn* Alexander. Mijn grappige, lieve, intelligente, aardige, eenzame, mooie, meesterlijke gothic Alexander. Hij was ongelooflijker en uitzonderlijker dan ik in mijn stoutste dromen had kunnen dromen.

Ik was blij dat ik veranderde, al was het niet op de manier waarover ik zo lang gefantaseerd had. Het was oké dat de spiegels niet barstten, want nu zag ik het spiegelbeeld van een verliefd meisje, stralend van geluk. Waarom zou ik voor eeuwig op een kerkhof willen wonen, als ik bij Alexander op zijn zolderkamer kon zijn? Ik wilde niet per se verschroeien in de zon, maar wel met hem samen de zon zien ondergaan, op Hawaï of zo. Ik wilde geen bloed drinken, maar cola uit gifgroene glazen. Ik wilde genieten van alle dingen waarvan ik altijd genoot. Van ijsjes, van horrorfilms, van dansen in de nacht, maar wel allemaal samen met hem.

'Het gerucht gaat dat je omgaat met die vampier,' zei Trevor.

Het was de dag voor het Sneeuwbal, toen Becky en ik na de middagpauze door de gang liepen. Aankondigingen voor het bal hingen aan het plafond en posters waren door de hele school geplakt. 'Is het niet genoeg dat je zelf een lijpo bent en Becky een trol? Moet je dan ook nog omgaan met een ontsnapte gek? Weet je niet dat het op Het Landhuis spookt?'

'Ik weet alles en jij weet helemaal niets,' zei ik rustig. 'Jij kent Alexander helemaal niet!'

'Kijk eens aan, het monster heeft een naam! Alexander! Ik dacht dat je hem Frankenstein zou noemen! Als ik hem ooit tegenkom, dan schop ik hem naar het andere eind van de wereld. We willen 's avonds toch veilig over straat kunnen lopen, zeker!'

'Als je in zijn buurt komt, dan sla ik je in elkaar! Als je ook maar naar hem kijkt, ben je je leven niet meer zeker!' dreigde ik.

'Als hij op jou lijkt, dan zal ik wel een zonnebril nodig hebben om me te beschermen tegen zijn verblindende lelijkheid.'

Op dat moment liep directeur Smith voorbij. 'Ik hoop dat het bijgelegd is tussen jullie, want we hebben nog geen geld voor nieuwe sloten op de kastjes. Ik hoorde dat jij het winnende doelpunt gemaakt hebt, Trevor. Fantastisch, jongen!' zei hij enthousiast en hij legde zijn hand op de schouder van de eikel.

'Hoe kon hij nu weten dat ik met Alexander omga?' vroeg ik peinzend aan Becky, toen de twee verdwenen waren.

'Eh, nou ja … je weet hoe de mensen hier kletsen.'

'Ach, de mensen hier zijn ook zo stom!'

'Raven, luister, ik moet je iets vertellen,' begon Becky met een nerveus stemmetje, dat nog nerveuzer klonk dan haar normale nerveuze stem. Maar ze werd afgeleid door de aanplakbiljetten van het Sneeuwbal. 'Zeg, heb je eigenlijk al kaartjes?'

'Kaartjes? Shit! Ik wist niet dat je kaartjes moest kopen! Kun je die krijgen bij TicketMaster? Kan dat ook telefonisch?' Ik schoot in de lach. 'Zie je nu, dat gebeurt er dus als je een buitenstaander bent.'

'Ik weet er alles van,' zei Becky. 'Hoe langer je erbuiten staat, hoe erger het wordt.'

'Misschien zijn ze wel uitverkocht en moet ik straks met Alexander buiten onder de volle maan dansen,' grinnikte ik.

Maar Becky lachte niet. 'Trevor weet erg veel, Raven,' zei ze onverwachts.

'Fijn voor hem, kan hij straks naar een goeie universiteit. Wat kan mij dat nou schelen?'

'Nee, ik bedoel, hij weet veel over … ik ben bang voor Trevor, Raven. Zijn vader bezit de halve stad. De helft van onze boerderij is van hem.'

'Het graan of de suiker?' lachte ik.

'Ik moet je iets bekennen …'

'Bewaar maar tot zondag. Vergeet die Trevor toch. Hij is gewoon een pestkop.'

'Ik ben niet zo sterk als jij, Raven. Dat ben ik nooit geweest. Jij bent mijn beste vriendin, maar Trevor weet hoe hij mensen kan manipuleren. Dan zeggen mensen dingen die ze niet willen zeggen.' Becky hield mijn arm vast. 'Alsjeblieft … ga niet dansen,' zei ze.

De bel klonk. 'Ik moet echt gaan. Ik wil niet nog een keer nablijven, anders mag ik straks niet naar het bal.'

'Maar Raven …'

'Maak je geen zorgen, lieve schat, ik bescherm je wel tegen de monsters.'

Het Sneeuwbal

Sneeuwbaldag! Ik kon absoluut niet stilzitten die dag. Zeker niet tijdens wiskunde, geschiedenis, aardrijkskunde en Engels. Dus bracht ik die uren door onder de voetbaltribunes, waar ik liefdesgedichten voor Alexander schreef. Daarna holde ik naar huis, danste rond in mijn kamer en probeerde elke combinatie uit mijn klerenkast totdat ik de juiste had gevonden.

'Alles goed met je?' Billy Boy stak zijn hoofd om de deur.

'Ik dans gewoon een beetje, lief schattig broertje van me.' En uitgelaten gaf ik hem een dikke knuffel en een zoen op zijn voorhoofd.

'Ben je gek?'

Ik zuchtte diep. 'Er komt een dag dat je het wel begrijpt. Dan ontmoet je een zielsverwant. Dan sta je ineens in vuur en vlam en tegelijkertijd voel je rust.'

'Je bedoelt iemand als Pamela Anderson?'

'Nee, ik bedoel een wiskundig, computergek *meisje*.'

Billy Boys blik stond onmiddellijk op oneindig. 'Tja, dat zou niet gek zijn, maar ze moet er wel *uitzien* als Pamela Anderson.'

'Ik wed dat ze er nog beter uit zal zien!' lachte ik en ik woelde zijn haren door elkaar. 'Nou, wegwezen. Ik moet me klaarmaken voor een feest.'

'Ga je dansen?'

'Ja.'

'Nou …' Het was duidelijk dat hij zich nu opmaakte voor een heel vervelende opmerking over zijn grote zus. 'Nou … je zult zeker de mooiste zijn.'

'Weet jij wel zeker dat jij geen pillen slikt?' grinnikte ik.

'Nou, je zult zeker de mooiste zijn … met zwarte lippenstift.'

'Kijk, dat is meer jouw stijl.' Lachend joeg ik hem mijn kamer uit.

Uiteindelijk paradeerde ik de keuken in op zwarte, hooggehakte, kniehoge vinyllaarzen met zwarte netkousen, een zwart superminirokje met daarop een zwart kanten, mouwloos topje. Om mijn armen klemden zwarte metalen armbanden. Een zwart kasjmieren sjaaltje verborg mijn liefdesbeet en zwarte, vingerloze leren handschoenen vestigden de aandacht op mijn zwartgelakte nagels, glanzend als zwart ijs. Wat een outfit voor het Sneeuwbal!

'En waar denk jij in deze kleren heen te gaan?' vroeg mam.

'Naar het schoolbal.'

'Met Becky?'

'Nee, met Alexander.'

'Alexander? Wie is Alexander?'

'Mijn grote liefde!'

'Wat hoor ik daar? Liefde?' Pap kwam de keuken in. 'Raven! Waar ga jij in die kleren heen?'

'Ze zegt dat ze met haar grote liefde naar een feest gaat,' antwoordde mijn moeder.

'Zo? Geen denken aan! En wie is dan wel die grote liefde? Een jongen van school?'

'Alexander Sterling,' zei ik, stralend als een zwarte engel.

'Van de Sterlings in Het Landhuis?' vroeg pap.

'De enige echte!'

'Nee, niet de jongen van de Sterlings!' riep mam geschrokken. 'Ik hoor zoveel rare verhalen over hem. Hij hangt 's nachts op het kerkhof rond en niemand heeft hem ooit overdag gezien! Net een ... vampier!' voegde ze er rillend aan toe.

'Mam, je denkt toch niet dat ik met een vampier uitga, hè?'

Er viel een doodse stilte. Secondenlang zei niemand een woord.

'Jezus! Wees alsjeblieft niet zoals de rest van dit eikelige provinciestadje! Geloof toch niet al die onzin!' schreeuwde ik.

'Schatje, ik hoor die verhalen overal!' fluisterde mam samenzweerderig. 'Gisteren nog zei Nathalie Mitchell …'

'Nathalie Mitchell? Mam, wie geloof je nu eigenlijk? Nathalie Mitchell of mij! Vanavond is belangrijk voor me, snap je dat niet?! Alexander is ook nog nooit naar een schoolbal geweest. Hij is zo mooi en zo intelligent! Hij weet alles over kunst en cultuur en …'

'Kerkhoven?'

Ja, hoor, mijn grappige vader natuurlijk.

'Hij is niet zoals de mensen zeggen. Hij is de meest … ongelofeloze jongen in ons hele zonnestelsel. Op jou na, pap.'

'In dat geval, veel plezier.'

'Paul!'

'Maar niet in die kleren,' zei pap vlug. 'Sara, ik ben blij dat ze een keer naar een feest gaat. Dat betekent dat ze een keer zonder dwang naar school gaat. Eigenlijk is dit het meest normale wat ze gedaan heeft de afgelopen zestien jaar.' Mam keek hem woedend aan. 'Maar niet in die kleren,' herhaalde hij nog een keer.

'Pap, dit is de rage in Europa!'

'Ah, maar we zijn hier niet in Europa, meisje. We leven in een rustig, klein provinciestadje in Amerika, waar coltruien de rage zijn. Dichtgeknoopte boordjes, lange mouwen en lange plooirokken.'

'Echt niet!' zei ik.

'Die jongen is in jaren niet van zijn kamer geweest en jij laat hem je dochter, in deze kleren, begeleiden?' vroeg mam. 'Paul, zeg iets. Doe iets.'

Pap liep naar de gang en kwam terug met zijn zwarte sportjas. 'Doe dit eroverheen,' zei hij en hij gaf me de jas. 'Hij is zwart.'

Ik was verbijsterd.

'Ja, het is deze jas of mijn zwarte badjas,' zei hij.

Met tegenzin nam ik de jas aan.

'En we zien deze meest ongelofeloze jongen uit ons zonnestelsel natuurlijk als hij je op komt halen?' merkte mijn moeder op.

Wat? Ik was perplex. 'Nee, natuurlijk niet!'

'Dat is heel gewoon, hoor. We wisten niet eens dat je hem kende. We wisten zelfs niet dat je uitging vanavond.'

'Je wilt hem alleen maar uithoren en in verlegenheid brengen. En dan heb ik het nog niet eens over mezelf.'

'Dat is precies waar het allemaal om draait. Als je vriend tegen al die vragen en die ouderlijke nieuwsgierigheid bestand is, dan is hij helemaal van jou,' plaagde pap.

'Het is gewoon niet eerlijk! Willen jullie soms ook nog meekomen?' riep ik boos.

'Ja,' antwoordden ze tegelijkertijd.

'Dit is belachelijk! Het is de avond van mijn leven en jullie gaan die verpesten!'

Een auto reed de oprijlaan in. 'Daar is hij!' gilde ik opgewonden. 'Jullie moeten wel cool zijn, hoor!' zei ik, zenuwachtig heen en weer lopend. 'Denk maar aan jullie hippietijd. Aan kralenkettingen en Joni Mitchell, aan wijde pijpen en wierook. Niet aan golfbroeken en een porseleinen theeservies,' smeekte ik. 'En geen woord over kerkhoven!'

Ik wilde zo graag dat alles perfect zou verlopen vanavond, alsof het onze trouwdag was. Maar ineens voelde ik me de bruid die wenste dat ze ervandoor was gegaan.

Nu mijn ouders mijn gothic prins wilden ontmoeten, stond het zweet ineens in mijn handen. Hopelijk flipte Alexander niet bij het zien van mijn ouders op hun gezellige, pastelkleurige bankstel.

De bel. Ik stormde naar de deur. Alexander! Oogverblindend! Hij droeg een chic glanzend driedelig pak en een rode zijden sjaal! Hij leek wel zo'n basketbalspeler van een miljoen per jaar, die ik wel eens bij een interview had gezien. Hij had een doosje bij zich, verpakt in bloemetjespapier.

'Wauw!' zei hij en hij gleed met zijn ogen over me heen. Mijn vader gebaarde dat ik zijn sportjas aan moest trekken, maar die legde ik over een stoelleuning.

'Ik had eigenlijk een wollen muts moeten dragen en sneeuwschoenen,' verontschuldigde hij zich verlegen. 'Ik heb me niet echt aan het thema gehouden.'

'Helemaal niet erg!' riep ik. 'Je bent de mooiste jongen die hier rondloopt,' en ik trok hem de huiskamer in.

'Dit zijn mijn ouders,' stelde ik mijn vader en moeder voor. 'En dit is Alexander.'

'Het is me een genoegen met u kennis te mogen maken,' zei Alexander. Hij stak zijn hand uit. Eerst mijn vader, toen mijn moeder.

'We hebben al veel over je gehoord,' zei mijn moeder blozend, toen ze hem de hand schudde.

Ik wierp haar een waarschuwende blik toe.

'Ga zitten,' ging ze verder. 'Wil je misschien iets drinken?'

'Nee, dank u.'

'Maak het jezelf gemakkelijk,' zei pap. Hij wees op de bank. Zelf liet hij zich wegzakken in zijn beige leunstoel.

Nu zou het komen. De ondervraging. Ik deed een schietgebedje op de goede afloop.

'Vertel eens, Alexander. Hoe bevalt het je in ons stadje?'

'Sinds ik Raven ken, vind ik het hier geweldig,' antwoordde hij beleefd, en met een prachtige lach voor mij.

'Maar hoe is het mogelijk dat jullie elkaar ontmoet hebben, terwijl jij niet eens bij haar op school zit? Raven heeft nog nagelaten ons dat deel te vertellen.'

O nee, dit ging helemaal fout.

'Och, we zijn elkaar gewoon ergens tegen het lijf gelopen. U weet wel, juiste plaats, juiste tijd. Zoals ze altijd zeggen: alles draait om timing en geluk. En ik moet zeggen dat ik heel veel bevrediging vind in het bestaan, sinds ik uw dochter ken.'

Pap keek hem vreemd aan.

'Nee, dat moet u niet denken,' voegde hij er verlegen lachend aan toe. Alexander draaide zich naar mij. Zijn spookachtig bleke gezicht was vuurrood. Ik moest vreselijk giechelen.

'Wat doen je ouders eigenlijk?' ging pap onverbiddelijk door. 'We zien ze niet vaak, wel?'

'Mijn vader is kunsthandelaar. En samen hebben mijn ouders galerieën in New York, Londen en Roemenië.'

'Dat klinkt heel opwindend.'

'Dat is het ook,' zei Alexander. 'Alleen zijn ze bijna nooit thuis. Meestal vliegen ze ergens rond.'

Geschrokken keken mijn vader en moeder elkaar aan.

'Tijd om te gaan!' onderbrak ik de ondervraging en ik sprong op.

'Ik heb nog iets voor je,' zei Alexander toen hij overeind kwam. Hij gaf me het gebloemde pakje. 'Dit is voor jou.'

'Dank je!' Een beetje ongerust maakte ik het open, totdat ik de corsage van rode rozen zag. 'Prachtig!' En de blik die ik mijn ouders toewierp, was veelzeggend: zie je nu wel, ik heb het toch gezegd?

'Wat beeldig!' dweepte mijn moeder.

Terwijl ik de corsage voor mijn hart hield, probeerde Alexander hem met een verlegen gezicht op mijn topje vast te spelden. Zenuwachtig prutste hij met de speld.

'Auw!'

'Heb ik je geprikt?' vroeg hij.

'Ja, in mijn vinger, maar het is niet erg.'

Alexander staarde geschokt naar de druppel bloed op mijn vinger.

Mijn moeder raakte in paniek en sprong tussen ons in met een tissue, die ze razendsnel van de salontafel griste.

'Mam, er is niets aan de hand. Gewoon een beetje bloed.' Snel stak ik mijn vinger in mijn mond.

Iets wat zo vaak gebeurt als je voor het eerst naar een schoolbal gaat, leek bij ons bijna een misdaad. Omdat mijn ouders bang waren dat Alexander ging bewijzen dat de geruchten waar waren. Iets wat ik ook zo lang gehoopt had, maar waar *ik* uiteindelijk overheen gegroeid was.

'We gaan!' zei ik.

'Paul!' zeurde mam.

Maar mijn vader wist wel beter. Hier kon hij niets meer aan doen. 'Vergeet die jas niet,' was het enige dat hij zei.

Ik greep de jas, pakte Alexanders hand en sleepte hem mee naar buiten, bang als ik was dat mam voor hem zou springen en een kruis onder zijn neus zou duwen.

Vanaf het parkeerterrein konden we de muziek al horen. Geen Camaro te zien. We waren veilig. Zolang het duurde.

'Vergeet je jas niet,' zei Alexander toen ik uitstapte.

'*Jij* moet me vanavond warm houden.' Ik gaf hem een knipoog en liet de jas op de achterbank liggen.

Twee cheerleaders in noordpoolkledij staarden ons misprijzend aan.

Bij de hoofdingang van het gebouw bleven we staan. Alexander was net een kind, nieuwsgierig en zenuwachtig. Hij bekeek het gebouw met zoveel interesse dat je zou geloven dat hij echt nooit een school had gezien.

'We hoeven niet per se naar binnen,' zei ik.

'Jawel, het is oké,' antwoordde hij, terwijl hij mijn vingers bijna fijnkneep.

Twee voetbalsnobs in de gang stopten abrupt hun gesprek toen ze ons zagen. 'Je oogballen rollen eruit,' zei ik tegen ze, toen ik Alexander voor hen langs leidde.

Alexander zag alles: de aankondigingen van het Sneeuwbal, de advertenties op het prikbord, de bekerkast. Met zijn hand gleed hij langs het koude metaal van alle kastjes.

'Ben je echt *nooit* naar school geweest?'

'Nee.'

'Jezus! Je moet de gelukkigste jongen in de wereld zijn. Je hebt nog nooit een schoolmaaltijd hoeven te eten!'

'Maar als ik wel op school had gezeten, dan hadden wij elkaar eerder ontmoet.' Hij trok me tegen zich aan, precies op de plek waar Trevor gisteren zijn hatelijkheden had geuit.

Monica Havers en Jodie Carter liepen ons voorbij en hun barbiekoppen rolden bijna van hun barbierompen van verbijstering.

Ik stond klaar om een mep uit te delen als iemand iets doms zou zeggen, maar aan de druk op mijn pols voelde ik dat Alexander liever had dat ik kalm bleef. De meisjes fluisterden en giechelden, draaiden zich nog eens om en liepen toen snel verder om het nieuws te verspreiden.

'Hier leer ik dus geen scheikunde,' legde ik uit toen ik de deur naar mijn scheikundeklas opende. 'Meestal moet ik overal naar binnen sluipen. Vanavond is het een koud kunstje.'

'Dat wilde ik je steeds nog vragen. Waarom sloop jij …?'

'Kijk hier eens,' onderbrak ik hem en ik wees naar de glazen potten en flessen in de praktijkruimte. 'Allemaal geheimzinnige drankjes en mengseltjes. Maar dat interesseert je vast niet, of wel?'

'Daar ben ik gek op!' Hij hield een flesje omhoog alsof hij een exclusief wijntje in zijn hand had.

Ik duwde hem achter een tafeltje en schreef zijn naam op het bord.

'Weet iemand een andere naam voor kaliumcyanide? Als je het antwoord weet, dan steek je je hand op,' zei ik streng.

Alexander stak zijn hand op.

'Ja, Alexander?'

'Cyaankali.'

'Correct geantwoord. Je bent geslaagd voor het hele jaar!'

'Juf Madison?' vroeg hij, met zijn hand omhoog.

'Ja?'

'Wilt u even komen? Ik heb nog wat bijles nodig.'

'Maar ik heb je net een tien gegeven!'

'Mijn vraag ligt meer op het anatomische vlak.'

Ik liep naar hem toe. Hij trok me op zijn schoot, keek door mijn ogen in mijn ziel en kuste me zacht op mijn mond.

Twee meisjes liepen giechelend langs de openstaande deur.

'We kunnen beter gaan,' stelde hij voor.

'Nee, het is wel oké.'

'Ik wil niet dat je van school gestuurd wordt. En bovendien wil ik vanavond nog met je dansen,' zei hij.

Hand in hand verlieten Alexander en ik het scheikundelokaal, terwijl zijn naam in grote letters achterbleef op het bord.

Toen we het gymlokaal naderden, kon ik de koude blikken al voelen. Iedereen staarde naar ons alsof we van een andere planeet kwamen.

Mevrouw Fay, de wiskundelerares, nam de toegangsbewijzen aan.

'Wat fijn dat je op tijd voor het feest kon komen, Raven. Jammer dat je dat nooit lukt voor de lessen! Ik geloof niet dat ik deze jongeman ooit op school gezien heb?' voegde ze eraan toe, Alexander kritisch opnemend.

'Omdat hij niet op school zit, juf.' Neem die kaarten nou maar, mens! Verdere uitleg liet ik achterwege en ik trok Alexander achter me aan.

We liepen de zaal binnen. En ik weet niet of het aan Alexander lag, of omdat dit mijn eerste bal was, of omdat het nepsneeuw was, maar nog nooit had ik wit zo fantastisch mooi gevonden! Plastic ijspegels en sneeuwkristallen hingen aan het plafond en de hele vloer was bedekt met poedersneeuw. Kunstsneeuw dwarrelde zacht en langzaam op ons neer. Iedereen was gekleed in feestelijke winterjurken of witte corduroy broeken met sweaters, wanten, sjaals, en mutsen. En de airconditioning bezorgde me rillingen.

Zelfs de rockband, de Push-ups, was gekleed in winterstijl met winterschoenen en gebreide mutsen. Versnaperingen kon je krijgen onder het scorebord: ijshoorntjes, cider en warme chocolademelk.

Ik hoorde het gefluister en gelach, voelde de starende blikken toen Alexander en ik langs een groep leerlingen liepen. Zelfs de band keek naar ons.

'Zal ik chocolademelk halen,' vroeg ik, 'voordat alles op is?'

'Ik hoef niets,' zei hij, terwijl hij naar de dansende menigte keek.

De band zette een elektronische versie in van *Winter Wonderland.*

'Mag ik deze dans van u?' vroeg ik hem beleefd en ik bood mijn hand aan.

Ik was in de zevende winterhemel, toen ik met hem door die zachte poedersneeuw de dansvloer op liep. Ik had de beste afspraak van de avond. Alexander was en danste als een droom. We vergaten dat we buitenstaanders waren en zagen alleen nog elkaar. Onze lichamen bewogen zo uitbundig op de muziek, alsof we in een disco in New York waren. De ene dans na de andere, zonder ophouden: *Cold as Ice, Ice Cream, Frosty the Snowman.*

De band zong: 'I'll melt with you.' Ik smolt. Alexander smolt. De zaal tolde, de sneeuw viel zachtjes. Alexander en ik schaterden van het lachen toen we over een dronken snob struikelden die een sneeuwengel uitbeeldde op de vloer. Toen de muziek stopte, drukte ik Alexander bijna fijn, alsof het nummer speciaal voor ons gespeeld was. Maar natuurlijk waren we niet alleen, daar herinnerde een bekende stem ons wel aan.

'Weet de inrichting wel dat je ontsnapt bent?' klonk Trevors hatelijke stem, terwijl hij plotseling naast Alexander opdook.

Ik trok Alexander mee naar de tafel met versnaperingen en pakte een kersenijsje.

'Weet de bewaker dat je hier bent?' vroeg Trevor, die ons gevolgd was.

'Trevor, ga weg,' zei ik en ik ging tussen hem en Alexander in staan.

'O, en dit is Frankensteins bruid met een PMS?'

'Trevor, hou op!' Ik zag niet hoe Alexander reageerde, maar ik voelde wel hoe zijn handen op mijn schouders me terugtrokken.

'Dit is nog maar het begin, Raven, het begin!'

'Wilde niemand met je meekomen, Trevor? Of werd het toch Matt?' vroeg ik sarcastisch.

'Heel slim, Raven. Ze is heel slim,' zei hij en nu richtte hij zich tot Alexander. 'Maar niet slim genoeg. Mijn afspraakje staat daar, Raven.' Hij wees naar de ingang.

Ik keek. Bij de deur zag ik Becky nerveus heen en weer schuiven. Ze was gekleed in een lange plooirok, een bleekroze truitje, witte kousen en witte instappers.

Mijn maag draaide om. Ik was verbijsterd.

'Ik heb een beetje aan haar uiterlijk gesleuteld,' snoefde Trevor. 'En dat is nog niet alles, schatje.'

'Ik vermoord je als je haar hebt aangeraakt!' gilde ik buiten mezelf.

'Nog niet, schatje, nog niet. Maar dat komt nog wel, het feest is nog niet afgelopen.'

'Raven, wat is er aan de hand?' vroeg Alexander, terwijl hij me naar zich toe probeerde te draaien.

Trevor gebaarde Becky dat ze moest komen. Ze durfde me niet aan te kijken toen ze naderbij kwam. Trevor pakte haar hand en kuste haar teder op haar wang. Ik kon wel kotsen.

'Blijf van haar af!' Ik greep haar hand en probeerde haar los te rukken.

'Raven, wie is die jongen? Wat is er aan de hand?' vroeg Alexander.

'Bedoel je dat hij mij niet kent? Dat hij niets van *ons* weet?' vroeg Trevor vol leedvermaak.

'*Ons*? Er bestaat geen *ons*!' Ik deed een poging het uit te leggen. 'Hij is pissig op me omdat ik hem niet wil. Ik ben het enige meisje op school dat hem niet fantastisch vindt. Daarom kan hij me niet met rust laten. Maar ik snap niet, Trevor, waar jij het lef vandaan haalt om Becky hierin te betrekken!'

Becky bleef strak naar de grond staren.

'Het wordt tijd dat je Raven met rust laat, maat,' bemoeide Alexander zich ermee.

'Maat? Ben ik jouw maat? Gaan we soms samen uit, of zitten we in hetzelfde voetbalteam? Sorry, hoor, maar wij stellen wel kledingeisen. Geen capes, geen scherpe hoektanden.'

'Trevor, hou je mond! Of ik sla hem dicht!' dreigde ik.

'Laat maar, Raven,' zei Alexander. 'Kom, we gaan dansen.'

Maar ik verzette geen stap. 'Becky, ga bij hem weg!' gilde ik. 'Becky, zeg iets! Zeg dan toch iets!'

'Ze heeft al genoeg gezegd,' zei Trevor schijnheilig. 'Ze heeft eigenlijk heel veel gezegd. Grappig toch, hoe de mensen in onze stad kletsen. Je kunt ze niet stoppen, ook al zou je dat willen. Je kunt ze niet tegenhouden geruchten te verspreiden. En het is heel grappig om te zien dat mensen alles geloven!' Trevor staarde me recht in de ogen. Plotseling richtte hij zich tot Alexander. 'Je zult er wel achter komen wie kickt op deze geruchten. Eerder dan je lief is!'

'Waar heeft hij het over?' vroeg Alexander verbaasd.

'En vertel hem ook eens hierover.' Hij hield Alexander de foto van mijn bijtafdruk voor.

Alexander bekeek de foto. 'Wat is dit?'

'Ze gebruikte je,' ging Trevor door. 'Ik bracht een gerucht in de wereld dat steeds hardnekkiger werd. Iedereen in de stad geloofde dat jij een vampier was. Het grappige echter is dat jouw schattige Raven *meer* waarde hechtte aan de geruchten dan enig ander.'

'Hou je stomme bek!' gilde ik woedend en ik smeet mijn smeltende kersenijsje in zijn gezicht.

Trevor bulderde van het lachen toen het ijs over zijn wangen drupte.

'Wat gebeurt hier allemaal?' Meneer Harris holde op ons af.

Alexanders blik sprak boekdelen. Hij keek hulpeloos om zich heen en zag de starende menigte wachten op zijn reactie. Toen greep hij me boos bij mijn arm en sleepte hij me mee naar buiten. Uit de nepsneeuw, in de echte regen.

'Wacht!' riep Becky, die achter ons aan kwam rennen.

'Wat moet dit allemaal voorstellen, Raven?' vroeg Alexander boos. 'Hoe weet hij dat je bij mij in huis geweest bent? Hoe weet hij van het kerkhof? En dat je flauwgevallen bent?'

'En wat is dit?' Hij liet mij de foto zien.

'Alexander, het is niet wat je denkt.'

'Je hebt me nooit verteld waarom je binnengeslopen bent,' zei hij.

Ik zag de donkere diepten in zijn eenzame, gevoelige ogen. Wat moest ik zeggen? Ik kon niet liegen. Dus ik zei niets, sloeg mijn armen om hem heen en trok hem dicht tegen me aan. Maar hij duwde me van zich af.

'Waarom, Raven?'

Tranen prikten achter mijn ogen. 'Ik heb bij jullie ingebroken om aan te tonen dat de geruchten fout waren. Ik wilde een eind maken aan al die roddels!'

'Dus ik was niets anders dan een spookverhaal voor je. Je moest het alleen nog even controleren?'

'Nee, nee. Becky, zeg hem dat dat niet waar is!'

'Het is niet waar!' riep Becky.

'Ik dacht dat je anders was, Raven,' vervolgde Alexander. 'Ik dacht dat we een band hadden. Ik dacht dat jij mij begreep! Maar je bent net als alle anderen!'

Hij draaide zich om, maar ik hield hem tegen.

'Ga niet weg, Alexander!' smeekte ik. 'Het klopt dat ik in de ban raakte van die geruchten. Maar toen ik je zag, wist ik het meteen. Wij horen bij elkaar! Daarom kwam ik bij je eten, ging ik mee naar het kerkhof en keek ik een film bij jou. Nergens anders om!'

Maar hij was niet te vermurwen. 'Ik dacht dat je anders was.' En hij liep weg.

'Nee, niet gaan!' huilde ik. 'Ik hou van je!' Maar hij hoorde me niet. Hij was weg. Vertrokken. Terug naar de beslotenheid van zijn zolderkamer.

Ik vloog terug naar het gymlokaal. De band was al aan het opbreken en iedereen staarde me aan toen ik de vloer op rende.

'Einde voorstelling,' verklaarde Trevor en hij begon te klappen. 'Het einde van een geweldige voorstelling, al zeg ik het zelf.'

'Jij …! Jij …!' Mijn bloed kookte. Meneer Harris had in de gaten dat ik in staat was een moord te plegen en greep me vast. 'Jij bent de duivel zelf, Trevor!' gilde ik, zwaaiend met mijn armen en tevergeefs worstelend om me uit de greep van de voetbaltrainer te bevrijden. 'Trevor Mitchell, *jij* bent het monster! Is er dan niemand hier die dat ziet?' Ik keek naar al die gapende gezichten om me heen. 'Zien jullie dat niet? Jullie verjagen de aardigste, gevoeligste, intelligentste en warmste persoon, terwijl je het naarste, gemeenste en meest kwaadaardige monster omarmt. En waarom? Omdat het monster dezelfde kleren draagt als jullie! Trevor maakt mensen kapot! Zien jullie dat niet? En jullie maar kijken naar zijn voetbalwedstrijden en maar samen feesten, terwijl je een engel uitspuugt, alleen omdat hij anders is!'

Tranen stroomden over mijn wangen toen ik naar buiten rende. Ik had altijd van de regen gehouden, maar vanavond was anders. Vanavond barstte de hemel open en huilde hij met me mee.

Becky kwam me achterna. 'Het spijt me, Raven. Het spijt me!' bleef ze maar roepen.

Maar ik negeerde haar en rende aan één stuk door tot ik bij Het Landhuis kwam. Daar klom ik over het natte, glibberige hek. Enorme motten fadderden rond de lamp boven de voordeur, waarop ik zo hard ik kon met de serpentklopper bonkte.

'Alexander, doe open! Alexander, doe open!'

Uiteindelijk ging de lamp uit en de motten fladderden teleurgesteld weg. Ik zat op de stenen trap en huilde. En huilde. Voor het eerst in mijn leven vond ik geen troost in de duisternis.

Liefdesverdriet

De hele nacht huilde ik en de volgende dag bleef ik thuis. Tegen het einde van de middag rende ik naar Het Landhuis. Ik schudde en rammelde uren aan het hek. Toen klom ik eroverheen en bonkte weer met de serpentklopper op de deur. De zware gordijnen voor het zolderraam bewogen, maar niemand deed open.

Terug thuis belde ik Het Landhuis en ik sprak met Jameson, die zei dat Alexander sliep. 'Ik zal zeggen dat u gebeld heeft,' zei hij.

'Zeg hem dat het me spijt!'

Maar Jameson haatte mij waarschijnlijk net zo erg als Alexander, dacht ik.

Ieder uur belde ik en telkens hadden Jameson en ik hetzelfde gesprek.

'Vanaf nu ga ik thuis leren!' gilde ik tegen mijn moeder, toen ze me de volgende ochtend na weer een slapeloze nacht uit mijn bed probeerde te praten. Alexander nam mijn telefoontjes niet aan en ik nam die van Becky niet aan. 'Ik ga nooit meer naar school!'

'Je komt er wel overheen, schat.'

'Maar hij is mijn hele leven, mam! Zou jij over pap heen gekomen zijn? Alexander is de enige in het hele universum die mij begrijpt! En ik heb het verpest!'

'Nee, schat,' zei mijn moeder. 'Trevor Mitchell heeft het verpest. Jij was de hele tijd aardig tegen die jongen van de Sterlings. Hij mag blij zijn dat hij jou heeft!'

'Vind je dat echt?' Reuzentranen biggelden over mijn wangen. Ook omdat mijn moeder zoiets liefs tegen me zei. 'Ik heb zijn leven geruïneerd!'

Mam zat op de rand van mijn bed. 'Hij aanbidt je, lieve schat,' zei ze troostend en ze hield me vast alsof ik een huilende Billy Boy was. Ik rook haar lichtzoete parfum en de geur van haar abrikozenshampoo, waarmee ze haar kastanjebruine haar waste. Ik had mijn moeder nodig. Nu. Ze moest me vertellen dat alles weer goed zou komen. 'Ik heb gezien hoe verliefd hij naar je keek, die avond dat hij je op kwam halen. Het is schandalig wat de mensen allemaal over hem gezegd hebben.'

'Jij was ook een van die mensen!' riep ik verontwaardigd. 'En misschien ik ook wel.'

'Nee, liever, jij niet. Jij vond hem gewoon aardig zoals hij was.'

'Ja, dat is ook zo. Dat is echt zo! Maar het maakt niet meer uit. Nu is het te laat.'

'Het is nooit te laat!' zei mijn moeder. 'Alleen,' ze keek op haar horloge, 'ik ben wel erg laat! Ik moet je vader naar het vliegveld brengen.'

'Bel de school,' riep ik mijn moeder na. 'Zeg maar dat ik liefdesverdriet heb en dat ik zelfmoord wil plegen.'

Ik trok de dekens over mijn hoofd. Voor het donker kon ik toch niets doen. Maar ik moest Alexander zien en weer wat leven in dat bleke lijf schudden. Ik moest hem om vergeving smeken. Maar omdat ze niet voor me opendeden en ik niet nog een keer kon inbreken, want deze keer zou hij vast en zeker de politie bellen, moest ik iets anders verzinnen. Er bleef één plek over waar ik hem misschien alleen zou treffen …

Met een bosje narcissen in mijn rugzakje klom ik over het hek van het kerkhof. Vlug sloop ik tussen de grafstenen door in de hoop dat ik in de juiste richting liep. Zo zenuwachtig als ik was, zo opgewonden was ik ook. Ik stelde me voor dat hij op me wachtte, naar me toe zou rennen, me zou omhelzen, me zou begraven onder zijn heerlijke kussen en me nooit meer los zou laten.

Maar ja, dacht ik toen, zou hij me wel vergeven? Was dit onze eerste ruzie of onze laatste?

Eindelijk vond ik de grafzuil van zijn oma, maar Alexander was er niet.

Ik legde de narcissen bij het graf. Het zat me allemaal vreselijk dwars.

De tranen gleden weer over mijn wangen.

'Oma!' riep ik luidkeels terwijl ik om me heen keek. Maar wie kon me hier zien, of horen? Ik kon zo hard schreeuwen als ik wilde. 'Oma, ik heb er een zootje van gemaakt, één grote zooi. Maar er is niemand in de wereld die zo zielsveel van uw kleinzoon houdt als ik. Kunt u me helpen, alstublieft? Ik mis hem zo erg! Alexander denkt dat ik denk dat hij zo anders is, en dat denk ik ook. Anders dan andere mensen, maar niet anders dan ik. Ik weet dat het dweperig en overdreven klinkt, maar hij is echt onwezenlijk, fantastisch geweldig en ik wil gewoon altijd bij hem zijn. Kunt u me helpen?'

Stilte. Ik wachtte op een teken. Iets magisch, een wonder, overvliegende vleermuizen, een bliksemschicht. Maar het enige wat ik hoorde, waren de krekels. Misschien moest ik wat geduld hebben met wonderen en tekens.

Eén dag met liefdesverdriet thuisblijven werden er twee, en drie en vier.

'Je kunt me niet dwingen naar school te gaan!' schreeuwde ik iedere ochtend en ik draaide me weer om.

Jameson bleef zeggen dat Alexander niet aan de telefoon kon komen. 'Hij heeft tijd nodig,' gaf hij aan. 'Heb geduld.'

Geduld? Hoe kon ik nu geduldig zijn als elke seconde dat we gescheiden waren, voelde als een eeuwigheid? Mijn hele bestaan was zinloos zonder hem!

Zaterdagochtend kreeg ik ongewenst opbeurend bezoek. 'Ik daag je uit voor een partijtje tennis!' riep mijn vader vrolijk. Hij gooide zijn tennisracket op mijn bed, trok de gordijnen open en zette mijn kamer in de volle zon.

'Ga weg!'

'Je hebt frisse lucht nodig.'

Hij liet een wit T-shirt en een wit tennisrokje op mijn bed vallen.

'Die zijn van mam!'

'Ik verwacht niet dat er in jouw kasten iets wits te vinden is. Kom op, vliegen! Over een halfuur is de baan van ons.'

'Maar ik heb al in jaren niet meer getennist!'

'Een reden te meer om jou mee te nemen. Ik ga vandaag weer eens winnen,' zei hij lachend en hij trok de deur achter zich dicht.

'Je hoopt dat je zult winnen!' riep ik hem na.

De tennisclub van Oersaai was nog precies zoals ik me herinnerde: saai en snobistisch. De sportwinkel hing vol dure tenniskleding. Merkrokjes, merksokjes, gele ballen en veel te dure rackets. Het viersterrenrestaurant vroeg een kapitaal voor een glaasje mineraalwater. Als ik geen zwarte lippenstift op had gehad, dan had ik hier naadloos gepast in mijn moeders tennisoutfit. Maar mijn vader liet het maar zo. Ik denk dat hij al blij was me weer verticaal te zien.

In iedere bal die mijn vader sloeg, zag ik Trevor Mitchell en mijn wraaklust groeide tot grote hoogte. Ik sloeg de bal zo hard ik kon, maar ze verdwenen meestal in het net of hoog boven in het hek.

'Vroeger liet je me winnen,' zei ik, nadat we wat te eten besteld hadden.

'Hoe kan ik je nu laten winnen als je elke bal het net of de hemel in jaagt? Volg de bal met je ogen en sla wat rustiger.'

'Ik geloof dat ik de laatste tijd veel ballen in de verkeerde richting heb gejaagd. Ik heb Trevor Mitchell helemaal in de kaart gespeeld. Ik heb me laten verleiden door die geruchten, had ze nooit moeten geloven. O, ik mis Alexander zo!'

De ober bracht me een enorme salade en voor pap een broodje tonijn. Ik staarde naar de tomaten, de eieren en de krulsla. 'Pap, denk je dat ik hem ooit weerzie?'

'Wat denk je zelf?' vroeg hij, terwijl hij een hap van zijn broodje nam.

'Ik weet het niet. Maar hij *is* het voor mij. Je weet wel, die ene speciale persoon, die je alleen in films tegenkomt of in stomme sentimentele liefdesverhalen. Zoals Heathcliff of Romeo.'

De tranen sprongen alweer in mijn ogen.

'Het hindert niet, liefje,' zei hij en hij gaf me zijn servet. 'Toen ik je moeder ontmoette, droeg ik een John Lennonzonnebril en mijn haar hing tot op mijn middel. Ik had nog nooit een schaar gezien! Haar vader vond mij maar niks, vanwege mijn uiterlijk en vanwege mijn radicale politieke ideeën. Maar je moeder en ik keken de wereld in met dezelfde blik. En dat is het enige wat telt. Het was op een woensdag dat ik je moeder voor het eerst zag, op het gras voor de universiteit. Ze droeg een kastanjebruine broek met superwijde pijpen en een wit hemdje, en ze draaide pijpenkrullen in haar lange bruine haar terwijl ze een vogelnestje in de gaten hield. Ik liep naar haar toe en vroeg waar ze naar keek. 'Die moederraaf voedt haar babyraafjes. Is het niet schitterend?' zei ze. En toen citeerde ze een paar dichtregels van Edgar Allan Poe. Ik schoot in de lach. 'Waar lach je om?' vroeg ze. En ik vertelde haar dat het geen raaf was, maar een kraai. 'O,' lachte ze toen. 'Ik zal wel weer te veel gefeest hebben de laatste tijd! Maar het blijft mooi.' Toen zei ik haar daar op het grasveld dat het inderdaad heel mooi was, maar dat zij mooier was.'

'Heb je dat echt gezegd?'

'Anders zou ik het je nu niet vertellen. Zeker niet dat gedeelte over te veel feesten.'

'Mam heeft me wel verteld hoe ik aan mijn naam gekomen ben, maar ze heeft het nooit met haar uitgaansleven in verband gebracht.'

Ik was het universum heel dankbaar dat mijn ouders die dag een zogenaamde raaf hadden gezien en geen eekhoorn. Dat zou desastreuze gevolgen gehad hebben.

'Pap, wat moet ik nu doen?'

'Dat moet je voor jezelf uitmaken. Maar als de bal weer op jouw helft valt, mep hem niet meteen alle kanten op, kijk ernaar en bepaal de richting voor je hem raakt.'

Mijn salade liet ik staan, want het was onmogelijk om die tegelijk te verwerken met de tennismetaforen.

Ik was in de war. Wat moest ik nu doen? Naar de bal toe gaan en slaan, of rustig wachten tot de bal bij me was? Pap was aan het ginnegappen met een vriend, toen ik een bekende stem hoorde. 'Je speelt een knap spel, Raven!' Verbaasd draaide ik me om. Het was Matt, die tegen het buffet leunde.

'Ik kan helemaal niet tennissen!' reageerde ik verrast. Mijn ogen vlogen rond, op zoek naar Trevor.

'Ik heb het niet over tennis.'

'Waarover dan wel?'

'Over school, over Trevor. Maak je geen zorgen, hij is er niet.'

'O, en neem jij het nu van hem over?' vroeg ik. 'Hier, op de club?'

'Nee, ik probeer het te stoppen. Ik bedoel, hoe hij tegen jou doet en tegen anderen. En vooral tegen die nieuwe jongen van Het Landhuis. Hij kent hem niet eens. En hij is waarschijnlijk ook een stuk cooler dan Trevor.'

'Zijn we op Spy TV?' vroeg ik wantrouwig. Ik speurde naar verborgen camera's in de buurt.

'Jij brengt iets extra's in dit stadje, met je funky kleding en je houding. Het maakt je niet uit wat anderen denken, terwijl dit stadje juist draait om wat de mensen denken.'

'Heeft Trevor zich verstopt in de cadeauwinkel?' Ik gluurde naar binnen.

'Het Sneeuwbal heeft mensen werkelijk op andere gedachten gebracht,' ging Matt verder. 'Trevor heeft de hele school gebruikt en uiteindelijk maakte hij iedereen belachelijk. Ik denk dat het we het toen pas werkelijk beseften.'

Langzaam drong het tot me door dat er geen verborgen camera's waren en geen verborgen Trevors. Matt haalde geen grap uit.

'Ik heb Alexander ook niet meer gezien. Misschien zie ik hem nooit meer. Trevor heeft het goed verpest,' zei ik met een brok in mijn keel.

'Naar de hel met Trevor!'

De mensen om ons heen keken geschrokken op. Je hoorde nu eenmaal niet te vloeken op de club, ook al hoorde je dat wel geregeld op de baan als er weer eens flink misgeslagen werd.

'Ik moet weg, maar ik weet zeker dat het wel goed komt.'

'Bedankt, Matt.'

'Nee, jij bedankt.'

'Ik wil je graag voorstellen aan een oude bekende, Raven,' zei pap, nadat Matt vertrokken was. Hij was in het gezelschap van een opvallend zongebruinde jongeman.

'Leuk om je weer eens te zien, Raven. Het is een hele tijd geleden. Je lijkt ineens zo volwassen. Ik zou je zonder de lippenstift niet herkennen. Ken je mij nog?'

Hoe zou ik hem ooit kunnen vergeten! De eerste keer dat ik Het Landhuis in sloop, het kelderraam, de rode honkbalpet. De warme kus op mijn wang van die knappe jongen, die zich waar moest maken voor zijn vrienden.

'Jack Patterson! Natuurlijk ken ik je nog, maar ongelooflijk dat je je mij nog herinnert!'

Van onder zijn Nikeshirt haalde hij een leren kettinkje naar boven met een onyxen medaillon. 'Hoe zou ik jou ooit kunnen vergeten!'

'Waarvan kennen jullie elkaar?' vroeg pap.

'Van school,' antwoordde Jack met een twinkeling in zijn ogen. En toen weer tegen mij: 'Zo, Raven, waar hou jij je tegenwoordig mee bezig? Volgens de geruchten sluip je Het Landhuis tegenwoordig door de voordeur binnen.'

'Eh ja, eerst wel, maar …' begon ik.

Gelukkig hielp mijn vader me. 'Jack is weer in de stad komen wonen en heeft het warenhuis van zijn vader overgenomen.'

'Ja, dat klopt,' zei Jack. 'Kom eens langs als je tijd hebt, jij krijgt altijd korting!'

'Verkoop je ook kistjes en zwarte make-up?' vroeg ik.

Hij lachte. 'Sommige dingen, Raven, zijn blijkbaar niet veranderd.'

Plotseling stond Matt naast ons. 'Ben je klaar?' vroeg Jack hem.

'Ken je Matt?' vroeg ik verrast.

'We zijn neven. Gelukkig ben ik terug … ik heb wat bedenkingen tegen de mensen met wie hij omgaat.'

Duisternis en licht

Zaterdagavond. In mijn Cure-T-shirt en mijn zwarte korte broek hing ik op de bank. *Dracula*, voor de honderdste keer, in slow motion. Ik stopte de dvd op het moment dat Bela zich over de slapende Helen Chandler buigt. Voor mijn geestesoog liet ik de avond passeren waarop Alexander me kuste op de zwarte leren bank, met de popcorn tussen ons in. Met tranen in de ogen keek ik naar Bela ...

De bel. Nog een keer.

'Doet er nog iemand open!' schreeuwde ik. Maar toen herinnerde ik me dat ze allemaal naar de bioscoop waren.

Ik gluurde door het kijkgaatje en zag Becky op de stoep staan.

'Wat moet *jij* hier?' snauwde ik, nadat ik de deur opengerukt had.

'Doe je kleren aan!' riep ze.

'O, ik dacht dat je misschien je excuses kwam aanbieden,' zei ik sarcastisch.

'Je moet mee naar Het Landhuis! Nu!'

'Laat me met rust!'

'Nu, Raven, meteen!' Ze klonk werkelijk ongerust.

'Wat is er dan aan de hand?'

'Toe nou, Raven, schiet nu op!'

Toen rende ik de trap op, trok een zwart T-shirt aan en mijn zwarte jeans.

'Raven, schiet op!'

Met grote sprongen rende ik naar beneden. Becky sleepte me bijna naar de auto.

In de pick-up bestookte ik haar met vragen, maar ze hield haar lippen stijf op elkaar.

Ik maakte me doodongerust en zag Het Landhuis al voor me, helemaal volgeklad, met de ruiten aan diggelen, Trevor en zijn kakvrienden uit op het bloed van Alexander. Nog een verschrikkelijker beeld vloog door mijn gedachten: een bord met TE KOOP erop in de tuin, geen donkere gordijnen meer voor het zolderraam …

Becky parkeerde de auto een paar huizen voor Benson Hill.

'Waarom stop je hier?' vroeg ik. 'Waarom niet dichterbij?'

Maar toen we uit de auto sprongen, zag ik waarom. Overal geparkeerde auto's. Eén lange rij, tot de heuvel. Ze waren er met een hele bende.

In de verte zag ik Monica Havers en Jodie Carter, gekleed in het zwart, alsof ze naar een begrafenis gingen. Maar ze renden en giechelden en zwaaiden met spuitbussen! 'O nee, we komen nooit op tijd!' schreeuwde ik.

We renden.

Het werd nog erger toen ik Kyle, de golfprofessional, zag. Ook in het zwart en met een brandende fakkel! Ik sidderde van angst. Mijn hart stond stil. Dit leek wel het einde van *Frankenstein*, als de menigte oprukt naar het kasteel, de boel in de fik steekt en arme Frankie uit zijn huis jaagt. Dat het zover had kunnen komen! Ik rook de brandlucht al!

'Nee! Nee!' schreeuwde ik, maar Kyle verdween al om de hoek. Ik rende hem achterna.

In mijn duisterste fantasieën had ik niet kunnen bedenken wat ik toen zag: minstens honderd Oersaaianen hadden zich verzameld voor Het Landhuis! Zeker de helft was in vampierzwart! Iedereen was zo donker dat ik even dacht dat ik een zonnebril droeg, maar een stralende Becky overtuigde me. Dit was perfect! Overal mensen, bij het hek, op de oprijlaan, op het gras. Kinderen en volwassenen. En ze hadden allemaal plezier!

Ik zag Shirley van Shirleys Bakkerij in een zwarte jurk en zwarte wandelschoenen, en Jim van de sportwinkel met zijn hele familie, allemaal in zwarte polo's en donkere kakibroeken! Ik kon mijn ogen niet geloven. Ik begreep er niets van. De samenkomst leek één groot feest. Maar waarom? Toch niet weer een misselijke grap? Boven het hek hing een groot spandoek. Dat verduidelijkte alles: WELKOM IN OERSAAI!!

Rode slingers hingen aan het hek en tuinfakkels verlichtten de heuvel.

'Hé, herken je ons niet?' riep iemand, toen Becky en ik het hek bereikten.

Ik draaide me om. Ruby! In een nauwsluitend zwart vinyljurkje en op vinyl dansschoenen met enorm hoge hakken.

'Deze outfit heeft me al vijf afspraakjes bezorgd, Raven! Je gelooft me niet, maar eentje met de butler!' Ze trok het onschuldige gezicht van een stout schoolmeisje. 'Hij is wat ouder, maar hij *heeft* wel iets, snap je?'

Als je Ruby zag, dan zou je zweren dat ze weggeplukt was uit een of andere Parijse modeshow. Zelfs haar poedel droeg een zwart leren halsbandje en een zwart hondentruitje.

'Herken je me nog?' Dat was Janice, in een zwart minirokje en legerkistjes. 'Is het wel mijn kleur?' En ze showde haar zwarte nagels.

'Elke tint zwart is goed!' riep ik.

We liepen langs een groepje cheerleaders in zwarte sportrokjes en zwarte sportschoenen. Monica Havers spoot ze allemaal onder met een afschuwelijk antimuggenluchtje.

Ik was sprakeloos. Ik kon iedereen wel omhelzen: mevrouw Gerber, mevrouw Lenny, meneer Burns. Maar … waar was Alexander?

'Wie heeft dit bedacht?' vroeg ik Becky.

'We wilden niet dat Alexander zich verstoten voelt,' draaide Becky om de vraag heen. 'En jij hebt altijd zoveel voor mij gedaan en voor iedereen eigenlijk. Raven … kun je me ooit vergeven?'

'Ik ben zo blij, Becky, dat je niet meer onder invloed van Trevor bent!' Met tranen in mijn ogen pakte ik haar hand.

In een zwartleren jack stond directeur Smith een zwartebessensapje te drinken met meneer Harris.

'Ha, die Frank. Je ziet er oogverblindend uit!' lachte ik.

'Tja, iedereen deed het. Ik bezweek onder een enorme groepsterreur, maar vertel het niet verder,' grinnikte hij. 'Fijn dat je over die koorts heen bent, Raven. Misschien zie ik je dan maandag weer op school?'

'Ik heb niet zoveel excuses meer, geloof ik.'

Toen Becky en ik verder liepen, botsten we bijna tegen Jack Patterson op, in een zwarte coltrui en zwarte jeans.

'Al die jaren heb ik op het juiste moment gewacht om je te kunnen bedanken,' bekende hij. 'Ik heb de hele stad in de kleren gestoken. Er is geen zwart meer te vinden in mijn winkel!'

'Dit is geweldig! Zo'n ongelooflijk goed idee! Je bent echt te gek!' zei ik. En nu kuste ik hem op zijn wang.

'Maar het was niet mijn idee,' zei Jack terwijl hij naar een hippe jongen wees, met zijn haren glad en glanzend achterover, in een zwart T-shirt en in een zwarte spijkerbroek.

'Hé, Raven! Ik was al bang dat je niet op zou komen dagen. Becky *moest* je echt overhalen. We konden Alexander niet verwelkomen zonder jou!'

Ik keek hem aan.

'Hij vraagt de hele avond al naar je.'

Zenuwachtig tuurde ik rond. Wat moest ik zeggen?

'Je zult hem binnen wel vinden,' verklapte Matt.

'Ik kan maar niet begrijpen dat je dit doet!' En ik omhelsde hem zoals eigenlijk alleen Ruby maar kon omhelzen. Matt was zo verrast door mijn uitbarsting van genegenheid, dat hij vuurrood werd. En ik ook. 'Echt, ik wist niet dat deze mensen er allemaal zo mooi uit konden zien!'

'Ga nu maar gauw,' zei Matt. 'Voordat de zon opkomt!'

Ineens besefte ik dat er één Oersaaiaan was die ik *niet* was tegengekomen. '*Hij* staat toch niet ergens in de schaduw te loeren, hè, Matt?'

'Wie?'

'Je weet wel wie!'

'Trevor? Nee, die is vanavond toevallig ergens anders.'

'Hartstikke bedankt, Matt!' Ik stak twee duimen omhoog.

Becky vond het nu wel genoeg en trok me mee naar Het Landhuis. Voor de deur stond een grote tafel met lekkere dingen: sapjes, cola, chips, popcorn, buggles … Alles wat Alexander die avond ook op tafel had staan.

'Nee, niet te geloven!' gilde ik. Bijna verliefd keek ik Becky aan. 'Ik heb je zelfs van de buggles verteld,' realiseerde ik me.

'Alles, Raven, ook van de gifgroene glazen,' zei Becky aarzelend.

Ze verwachtte misschien dat ik alsnog boos zou worden, maar ik lachte. 'Ik ben blij dat je zo'n goed geheugen hebt,' zei ik.

Vanuit mijn ooghoeken zag ik een paar hippievogels die zich hevig verliefd gedroegen.

'Kijk, daar is ze,' zei de mannelijke hippie.

Mijn ouders?! Mijn mam in een zwarte wijdepijpenbroek, op zwarte platformsandalen en in een zwart zijden, wijd uitlopend T-shirtje met om haar hals een vuurrode kralenketting. En mijn vader met een zwarte John Lennonzonnebril en in een strakke zwarte Levi's geperst, met daaroverheen een zwart zijden hemd. Niet te geloven! Zijn zwarte borstharen kwamen prachtig uit onder het maar half dichtgeknoopte hemd.

'Zitten jullie onder de dope?' vroeg ik verbijsterd.

Pap schaterlachte en twee kleine Dracula's zoemden om ons heen. Eén waaierde zijn cape wijd open en vloog op me af.

'Ik kom voor jouw bloed!' siste hij. Billy Boy!

'Jij ziet er goddelijk uit! Je bent de schattigste vampier die ik ooit gezien heb!' riep ik ontroerd uit.

'Echt? Dan doe ik dit maandag aan om naar school te gaan!'

'O nee, geen denken aan,' greep pap meteen in. 'Eén radicaal in de familie is al meer dan ik aankan.'

'Het is dít of een peperdure trui van Tommy Hilfiger,' dreigde Billy.

Pap keek hulpeloos naar mijn moeder. Billy knipoogde naar me en verdween.

Op dat moment kwam Jameson naar buiten, met over zijn arm een zwarte jas.

'Hier is uw jas, meneer Madison.' Hij overhandigde de jas aan mijn vader. 'De jongen kon er geen afstand van doen. Vanwege uw dochters parfum, geloof ik …'

Ik voelde mijn wangen weer rood worden, maar mijn hart smolt.

'Fijn dat ik u weer zie, juffrouw Raven, ik heb uw gefladder rond Het Landhuis gemist.'

Ik wilde Alexander zien. Nu. Zijn gezicht, zijn haar, zijn ogen. Ik wilde weten of hij nog dezelfde was, of hij nog steeds onze liefdesband voelde. Of dacht hij dat alles een grote leugen was?

Jameson las mijn gedachten. 'Wilt u niet binnenkomen?'

Gelukkig vroeg hij alleen mij binnen. Dat betekende dat onze hereniging, of scheiding, tenminste een privéaangelegenheid zou worden. Binnen was het stil, vanuit de zolderkamer klonk geen gitaarmuziek. En het was donker. Slechts een paar kaarsen verlichtten de gang. Ik zocht in de woonkamer, de eetkamer, de keuken en in de grote hal. Geen Alexander. Toen ik de enorme trap naar boven op liep, bedacht ik dat een tuinfakkel wel handig geweest zou zijn.

'Alexander?' fluisterde ik. 'Alexander?'

Mijn hart sloeg op hol. Ik was superzenuwachtig. Ik gluurde in de badkamer, de bibliotheek, de grote slaapkamer. Niets.

En toen hoorde ik stemmen. In de televisiekamer.

Graaf Dracula boog zich over Lucy heen. Tijdens deze scène had

Alexander mij gekust en was ik flauwgevallen. Ik ging op de zwarte bank zitten en keek ongeduldig naar de film. Ik verwachtte hem iedere seconde. Maar ik was er niet echt gerust op, dus liep ik terug naar de gang.

'Alexander?'

Mijn blik viel op de vaalrood beklede trap naar de zolder. De trap naar zijn kamer! *Zijn* trap.

De krakende trap leidde naar een dichte deur. Zijn deur. Zijn kamer. De kamer die ik nog niet mocht zien. Voorzichtig klopte ik op de deur.

Geen reactie. 'Alexander?' Ik klopte nog een keer. 'Alexander? Ik ben het, Raven.'

Achter die deur lag zijn wereld. Een wereld die ik niet kende. Waar de antwoorden op vele raadsels te vinden waren: hoe hij zijn dagen doorbracht, hoe hij zijn nachten doorbracht. Ik duwde de ijzeren klink omlaag. Piepend ging de deur open. Niet op slot! Ik wilde niets liever dan de deur helemaal openduwen. Even rondsnuffelen. Toen bedacht ik me. Daar waren de moeilijkheden mee begonnen, met mijn gesnuffel. Had ik dan helemaal niets geleerd? Ik telde tot tien en handelde geheel tegen mijn impuls in: ik sloot de deur weer. Daarna haastte ik me de krakende trap af en vloog naar beneden, vol nieuw vertrouwen. Bij de open voordeur bleef ik staan, ik voelde een aanwezigheid … en draaide me om.

Daar stond hij, mijn Prins van de Duisternis. Daar stond hij en hij keek me aan met zijn diepe, donkere, kalme, lieflijke, intelligente, prachtige, gevoelige ogen.

'Het was nooit mijn bedoeling jou verdriet te doen,' barstte ik los. 'Ik ben niet wat Trevor zegt. Ik heb je altijd te gek gevonden, precies om wie je bent!'

Alexander zei niets.

'Ik heb zo stom gedaan. Je bent het meest interessante dat Oersaai ooit is overkomen. Je moet wel denken dat ik superkinderachtig ben.'

Hij zei nog steeds niets.

'Zeg dan iets. Zeg dan dat ik totaal waardeloos ben. Zeg dat je me haat.'

'Ik weet dat we meer overeenkomsten hebben dan verschillen.'

'O ja?' vroeg ik verrast.

'Mijn oma heeft het me verteld.'

'Je oma? Praat ze met je?' vroeg ik. Een rilling kroop over mijn ruggengraat omhoog.

'Nee, joh, mijn oma is toch dood! Ik zag de narcissen. Jij begrijpt me. Echt.' Alexander kuste me. Lang en teder en liefdevol. Toen maakte hij zich los van mijn lippen en zei: 'Er is nog iets wat ik je wil laten zien.'

'Je kamer?'

'Ja, en iets *in* mijn kamer. Het is zo goed als klaar.'

'Het?' Mijn fantasie sloeg op hol. Wat verborg Alexander boven in zijn zolderkamer? Was *het* dood of levend?

'Als je morgenavond komt, is het klaar.'

Alexander pakte mijn hand en leidde me eerst de grote trap en daarna de krakende zoldertrap op. Zijn trap.

'Het wordt tijd dat ik je mijn geheimen openbaar,' sprak hij geheimzinnig en langzaam opende hij de deur.

Het eerste wat me opviel, waren de kasten vol boeken. Het enige licht in de kamer kwam van het maanlicht, dat door het kleine zolderraam naar binnen viel. Er stond een dure muziekinstallatie met rekken vol cd's, een behaaglijke leunstoel, en op de grond lag een dubbeldikke tweepersoonsmatras. Het opengeslagen zwarte dekbed onthulde een donkerbruin onderlaken. Een gewoon bed dus, net als ieder ander mens. Geen doodskist. Toen zag ik de schilderijen: fladderende vleermuizen om de Big Ben, de Towerbrug met wandelende mensen in plaats van rijen auto's, de Eiffeltoren op zijn kop. Er was een donker schilderij met een man en een vrouw in gothic kleren en omringd door een vuurrood hart. Zijn ouders. En het kerkhof van Oersaai, zijn opa en oma die elkaar lachend omhelsden boven oma's grafsteen. En een tekening met zicht vanuit zijn zolderkamer op Halloweengangers. 'Allemaal uit mijn donkere periode,' grinnikte hij.

'Maar ze zijn meesterlijk!' zei ik, terwijl ik ze van dichtbij bekeek. Nu zag ik ook overal verfspatten op de muren en op de vloer. En beelden, waarop foto's van mannequins geplakt waren, die vervolgens bespat waren met rode klodders verf.

Ik wees naar de schilderijen.

'Je bent ongelooflijk!'

'Ja? Vind je ze wel leuk?'

'Leuk?! Ze zijn geweldig!'

In de hoek stond een schilderij op een ezel, bedekt met een laken.

Ik bleef ervoor staan, vroeg me af wat het laken verborg. En voor het eerst in mijn leven liet mijn fantasie me in de steek. Ik draaide me om naar Alexander, die me bemoedigend toeknikte. Ik pakte een punt van het laken en langzaam trok ik het weg. Net als bij de spiegels in Alexanders kelder.

Ik was verbluft.

Daar stond ik!

Gekleed voor het Sneeuwbal met een corsage van rode rozen op mijn borst gespeld. Maar met een pompoenmandje aan mijn arm en in mijn ene hand een Snickers en in mijn andere een spinring. Sterren twinkelden aan een zwarte hemel en sneeuwvlokken dwarrelden om me heen. Mijn grijns was goddelijk, met vlijmscherpe, glanzende vampiertanden.

'Jezus, het lijkt precies op mij. Ik had nooit gedacht dat je een kunstenaar was. Ik bedoel, ik weet van je tekeningen in de kelder en van de verf aan de kant van de weg … ik had geen idee.'

'Was jij dat?' vroeg hij nadenkend.

'Waarom stond jij daar midden op de weg?'

'Ik was op weg naar het kerkhof om het schilderij van oma's monument te maken.'

'Gebruiken de meeste schilders geen kleine tubes?'

'Ik meng mijn verf zelf,' antwoordde Alexander.

'Ik had werkelijk geen idee. Je bent een kunstenaar. Nu snap ik alles pas.'

'Ik ben blij dat je het mooi vindt,' zei hij opgelucht. 'We kunnen beter teruggaan naar het feest. Straks hebben ze nog echt iets om over te roddelen.'

'Ja, je hebt waarschijnlijk gelijk. Je weet hoe dat gaat met geruchten in deze stad.'

'Is het niet vreemd?' vroeg hij later terwijl hij me een flesje sodawater gaf achter op het grasveld, nadat we ons eerst gemengd hadden onder de feestende vampierachtige Oersaaianen. 'We zijn geen buitenstaanders meer.'

'Laten we er maar van genieten,' lachte ik. 'Morgen is alles weer als vanouds.'

De feestgangers lachten en hadden plezier.

In de verte zag ik een figuur de oprit op rennen.

'Trevor!' Mijn adem stokte. 'Wat komt die hier doen?'

'Hij is een monster!' gilde Trevor. Hij naderde het feest. 'Zijn hele familie!'

'Niet nog eens!' kreunde ik.

Alle ogen waren nu op Trevor gericht.

'Alexander, ga alsjeblieft naar binnen,' vroeg ik smekend. Maar hij ging niet.

'Hij hangt op het kerkhof rond voor freaky zaken!' ging Trevor door en hij wees op mijn gothic maatje. 'Er waren geen vleermuizen in deze stad voor hij hier kwam wonen!' schreeuwde hij.

'En er waren ook geen losers in de stad voor jij hier kwam,' riep ik boos.

'Raven, hou je rustig,' vermaande mijn vader me streng.

'Nou is het genoeg!' Matt stormde naar voren met Jack Patterson vlak achter zich aan.

'Kijk dan,' beweerde Trevor. 'Ik ben aangevallen,' en hij wees op een schram in zijn hals. 'Door een vleermuis! Nou moet ik zo'n idiote inenting tegen hondsdolheid halen.'

'Hou nou toch op, Trevor,' zuchtte Matt vermoeid.

'Het gebeurde op weg hiernaartoe. Ik belde jou op en je moeder zei dat je bij dit idiote landhuis aan het feesten was. Hoe zit dat eigenlijk? Je zou met mij moeten rondhangen!'

'Dat heb je aan jezelf te danken,' antwoordde Matt. 'Ik heb er genoeg van om jou door te stad te rijden zodat jij je rare verhaaltjes kunt rondstrooien. Je hebt me lang genoeg gebruikt, Trev.'

'Maar ik had gelijk! Het zijn vampiers!' bleef Trevor schreeuwen.

'Ja, en ik had gelijk toen ik jou niet uitnodigde,' zei Matt.

'Jullie zijn helemaal gek. Feesten met die freaks!' ratelde Trevor maar door. Hij staarde ons allemaal aan.

'Oké, Trevor, nu is het echt welletjes.' Mijn vader liep op hem af.

'Ik heb hier helemaal niets mee te maken,' zei Alexander helemaal in de war.

'Ik denk dat we dat allemaal wel weten,' stelde ik hem gerust.

'Maar …' begon Trevor. Zijn kwade ogen lustten bloed.

'Ik wil toch echt liever niet je vader bellen,' zei mijn vader uiteindelijk en hij legde zijn hand op Trevors schouder. Trevor kookte, maar kon geen kant meer op. Niemand zou nog in zijn praatjes trappen of zijn kant kiezen. Niemand vond hem nog geweldig als hij het winnende doelpunt scoorde. Geen giechelende meisjes meer die een afspraakje wilden met een voetbalsnob of in zijn buurt wilden rondhangen omdat hij populair was. Hij kon niets anders meer dan weggaan.

'Wacht maar af … mijn vader bezit deze stad!' probeerde hij nog voordat hij wegstormde. Meer kon hij niet zeggen.

'Vergeet niet wat ijs erop te leggen,' adviseerde mijn moeder alsof ze Florence Nightingale zelf was.

'Hij heeft een verdovingsspuit nodig, mam, geen ijs.'

We keken Trevor na tot hij door de poort verdwenen was.

'Tja, we hadden eigenlijk een gezongen gelukstelegram in gedachten, maar men heeft de boodschap blijkbaar niet goed begrepen,' grapte mijn vader. Iedereen lachte opgelucht.

Alexander en ik hingen lekker tegen elkaar aan. De kinderen speelden vampiertje en renden in het rond.

Later, nadat Alexander al afscheid van de buren had genomen, vond Becky me terwijl ik de tafel aan het schoonmalen was.

'Het spijt me zo,' zei ze.

'Ga jij je nu de rest van je leven verontschuldigen?' vroeg ik haar.

Ik omhelsde haar en drukte haar stevig tegen me aan. 'Zie je morgen,' zei Becky moe.

'Je ouders zijn toch al vertrokken?'

'Ja, boerderij-uren. Vroeg naar bed en vroeg op.'

'Maar wie brengt ons dan naar huis?' vroeg ik verbaasd.

'Matt …'

'Matt?'

Een ik-ben-superverliefd-lachje verscheen op haar gezicht. 'Hij is niet zo snobistisch als het lijkt.'

'Ik weet het. Wie had dat nu kunnen denken?' lachte ik.

'Hij heeft nog nooit op een trekker gereden,' zei Becky. 'Denk je dat hij dat tegen ieder meisje zegt?'

'Nee, Becky, ik denk dat hij dat wel meent!'

'Kom op, Becky,' riep Matt, net zoals hij vroeger Trevor riep.

'Tot over een minuutje,' zei ik.

Ik was samen met Jameson de laatste restjes aan het opruimen toen Alexander de trap afkwam met een cape rond zijn schouders, naar achteren gekamd zwart haar en valse vampiertanden.

'Mijn droomvampier.'

In de hal trok hij me naar zich toe.

'Je probeerde me te redden vanavond,' zei hij. 'Ik zal je eeuwig dankbaar zijn.'

'Eeuwig,' grijnsde ik.

'Hopelijk kan ik jou ooit de gunst terugbetalen.'

Giechelend onderging ik zijn gezuig in mijn hals. 'Ik wil nog niet weg,' zeurde ik als een klein kind, 'maar Becky wacht. Zie ik je morgen? Zelfde vleermuistijd? Zelfde vleermuiszender?'

Hij liep met me naar de deur en beet speels in mijn hals.

Lachend probeerde ik zijn tanden uit te trekken.

'Auw,' riep hij.

'Ja, je moet ze ook niet vastzetten met superlijm!' plaagde ik.

'Raven, je gelooft toch niet meer in vampiers, of wel?' vroeg Alexander.

'Daar heb jij me, geloof ik, wel van genezen,' antwoordde ik. 'Maar ik wil wel mijn zwarte lippenstift houden.'

Hij gaf me een lange, hemelse welterustenkus.

Toen ik op het punt stond weg te gaan, zag ik het poederdoosje met de initialen van Ruby op de deurmat liggen. Ik raapte het op en opende het doosje om even mijn lippenstift te fatsoeneren. In het spiegeltje werd de open voordeur van Het Landhuis weerspiegeld.

'Zoete dromen,' hoorde ik Alexander wensen. Maar ik zag zijn spiegelbeeld niet.

Ik draaide me om. Daar stond hij, duidelijk in de deuropening.

Opnieuw keek ik in het spiegeltje. Leeg!

Nogmaals draaide ik me om, de slangenknop staarde me aan. Ik klopte als een razende op de deur.

'Alexander, Alexander!'

Verbijsterd deed ik een stap terug. Voorzichtig liep ik verder achteruit totdat ik het zolderraam kon zien. Het licht ging aan.

'Alexander,' riep ik.

Hij tuurde naar buiten vanachter de gordijnen. Mijn Gothic Guy, mijn Gothic Maatje, mijn Gothic Prins, mijn Ridder van de Nacht. Hij keek naar me, verlangend. Roerloos stond ik daar. Toen ik me langzaam naar hem uitstrekte, stapte hij weg van de gordijnen en het licht verdween.

Deadline

Mijn kinderdroom was uitgekomen, maar het leek meer op een nachtmerrie dan ik ooit had kunnen denken. De hele nacht lag ik wakker in een poging alles te begrijpen.

Was de jongen van wie ik hield echt een vampier? Zou ik in eeuwigheid verder leven als een koude, bloed drinkende geest?

Ik reageerde helemaal niet op deze onverwachte ontwikkeling zoals ik altijd gedroomd had. Ik greep de telefoon niet om CNN te bellen. De hele rit terug met Becky had ik geen stom woord gezegd. Ik kon alleen maar ongelovig naar buiten staren terwijl Becky met Matt aan het flirten was.

Thuis sloot ik me op in mijn slaapkamer. Ik ploos al mijn boeken over vampiers uit om antwoorden te vinden. Niets. Ik herhaalde voortdurend dat ik tegen hem zou zeggen dat ik van hem hield, ongeacht wie of wat hij was. Zijn geheim zou veilig zijn bij mij. Maar was ik bereid om alles achter te laten wat me dierbaar was? Om mijn wereld te ruilen voor zijn wereld? Om mijn ouders te verlaten? Becky? Zelfs Billy Boy? Ik staarde naar mijn spiegelbeeld alsof het de laatste keer kon zijn.

De hele dag bracht ik door op het kerkhof, ijsberend voor het grafmonument van de barones. Zodra de zon achter de bomen zakte, vertrok ik naar Het Landhuis. Eenmaal voorbij de heuvel zag ik meteen dat de poort gesloten was. Ik klom over het hek, maar toen ik bij Het Landhuis kwam, leek het griezeliger en eenzamer dan ooit tevoren. Alle lichten waren uit en de Mercedes stond er niet. Ik belde, steeds weer. Ik klopte met de serpentklopper. Niemand deed open. Toen ik door het raam naar binnen gluurde, zag ik witte lakens over het meubilair liggen. Ik rende achterom en drukte mijn neus tegen het kelderraam. Ademloos keek ik naar binnen. De kisten met aarde waren verdwenen!

Het hart zonk me in de schoenen. Ik probeerde me groot te houden.

Mijn hand zocht de losse steen die ik vroeger gebruikt had om naar binnen te glippen. Toen ik hem eruit trok, viel er een envelop op de grond. Mijn naam stond er in grote letters op geschreven.

Snel rende ik naar het hek en hield de brief onder het licht van een lantaarn.

Ik zag mijn naam duidelijk.

Er zat een zwarte kaart in. Daarop stonden vijf eenvoudige woorden, in bloedrode letters: OMDAT IK VAN JE HOU.

Mijn vingertoppen streelden de woorden. De brief hield ik tegen mijn hart. Tranen liepen over mijn wangen toen ik verslagen tegen de poort aan hing.

Wat ik gezien en gelezen had, doorboorde mij het hart.

Hoog in de lucht kwetterden de vogels. Ik keek omhoog en zag ze over de bomen scheren. Eentje nam een duikvlucht en landde boven mij op het ijzeren hek.

Het was een vleermuis.

Zijn vleugels bleven indrukwekkend beweginloos terwijl hij zijn blik op mij richtte.

Zijn schaduw viel donker op de stoep. Hij ademde met mij mee. Vleermuizen zijn blind, maar deze leek recht in mijn ziel te kijken.

Langzaam strekte ik mijn arm naar hem uit. 'Alexander?'

En weg vloog hij.